콘텐츠 홍보마케팅 따라잡기

KEIDY
https://brunch.co.kr/@kdm0326
어느덧 15년차 콘텐츠업계 홍보마케팅 팀장이자 워킹맘, 상담심리 대학원생.
일도, 육아도, 공부도 다 잘 하고 싶은 욕심쟁이.
바쁨 속에서도 잠깐의 여유를 내어 글을 씁니다.

발 행 | 2024-02-05
저 자 | KEIDY
펴낸이 | 한건희
펴낸곳 | 주식회사 부크크
출판사등록 | 2014.07.15(제2014-16호)
주 소 | 서울 금천구 가산디지털1로 119, A동 305호
전 화 | 1670 - 8316
이메일 | info@bookk.co.kr

ISBN | 979-11-410-7007-6
본 책은 브런치 POD 출판물입니다.
https://brunch.co.kr

www.bookk.co.kr

콘텐츠 홍보마케팅 따라잡기

KEIDY 지음

CONTENT

[#4. 콘텐츠 산업 더 알아보기 : 개념 편]

[#5. 콘텐츠 산업 더 알아보기 : 트렌드 편]

[#6. 콘텐츠 산업 더 알아보기 : 콘텐츠 기획 편]

<부록> 콘텐츠 용어집

드라마와 영화부터 OTT 시리즈물, 숏폼 콘텐츠에 이르기까지 콘텐츠 산업이 지속해서 확장되고 있으며, 그에 따라 제작과 소비 또한 더욱 활발해졌습니다. 콘텐츠 업계에서 홍보마케팅 및 사업전략 등 다양한 업무로 15년 이상 근무한 저자가 지금 제일 '핫'한 콘텐츠 업계의 홍보마케팅 업무와 콘텐츠 업계에서 통용되는 개념에 대해 쉽게 알려드립니다. 마케팅과 홍보의 차이, 콘텐츠 홍보마케팅 프로세스, 콘텐츠 산업 트렌드, 콘텐츠 업계에서 쓰이는 용어 등…. 이 분야에 관심 있는 분이라면 분명 도움 되는 정보를 얻어 가실 수 있을 것입니다.

#1. 콘텐츠 홍보마케팅에 대하여

마케팅 vs 홍보, 뭐가 다르지?

콘텐츠 마케팅과 콘텐츠 홍보의 차이점

마케팅과 홍보는 둘 다 콘텐츠의 흥행을 위한 업무를 하는 것은 동일하지만, 차이점이 있습니다. 마케팅은 직접적으로 소비자에게 커뮤니케이션하며 콘텐츠를 소비할 수 있도록 유도하는 것이고, 그래서 마케팅은 포스터, 예고편 등의 선재물 제작 및 광고 집행을 통해 소비자에게 콘텐츠 인지 선호를 높이는 것을 목표로 하게 됩니다.

홍보는 공신력 있는 언론매체의 입을 빌려 콘텐츠에 대해 긍정적인 인식을 갖게 하여 콘텐츠를 소비할 수 있도록 유도하는 것입니다. 그래서 홍보는 우호적인 언론매체와의 관계를 통해 콘텐츠의 장점을 강조하고 약점을 최소화하는 기사를 적극적으로 노출하는 것을 목표로 합니다.

마케팅과 홍보, 같은 듯 다르죠. 그러나 결국은 둘 다 제품의 성공, 즉 콘텐츠의 흥행을 위해 노력한다는 점은 동일합니다. 그렇기에 마케팅과 홍보 담당자들이 때로는 한 분야의 전문성을 좀 더 깊이 파기도 하지만 두 분야를 넘나들며 일하는 케이스들도 꽤 있는 편이죠. 그리고 각각 분야에 대한 이해도가 있다면 양쪽의 이해관계를 잘 알 수 있기 때문에 업무에 더욱 도움이 되는 경우도 많습니다. 가능하면 마케팅과 홍보의 프로세스, 중요한 사항들에 대해 둘 다 잘 알아두는 것도 좋겠습니다.

콘텐츠 마케팅에서 중요한 3가지

현실성, 명확성, 본질

콘텐츠 마케팅은, 그리고 대부분의 마케팅은 기대치와의 싸움입니다. 마케팅 행위는 기대치를 올리기 위한 것이지만, 사실 기대치가 낮아야 콘텐츠를 봤을 때 만족의 역치가 낮아져 평이 좋을 가능성이 높죠. 아이러니합니다. 예측할 수 있는 것처럼 보이다가도 예측이 불가능하다는 점이 콘텐츠 산업의 매력이기도 하고, 가장 어려운 점이 아닐까 싶습니다. 그렇기에 콘텐츠 마케팅에서 중요한 것은 현실성, 명확성, 본질에 집중하는 마케팅입니다.

아무리 창의적이고 재미있는 아이디어라도 그것을 실현할 예산, 집행 시기, 실제 구현 가능한지 등 고려해야 할 사항들이 많기 때문에 마케팅 현실성이라는 것은 매우 중요합니다.

명확성은 콘텐츠 내용이 복잡하고 어렵더라도 마케팅 단에서는 명쾌하고 단순하게 표현하는 것이 대중과의 괴리를 줄여 인지도와 호감도를 높이는 데에 도움이 되기 때문에 중요한 요소로 꼽힙니다.

마지막으로 본질에 집중하는 마케팅이란, 예전에는 마케팅 단에서 정보의 조절이 가능했지만, 지금은 정보가 어디를 가도 넘쳐나고 콘텐츠 소비자들도 정보를 알아서 생산해 내는 시대이기 때문에 본질에 어긋나는 마케팅을 할 경우에는 오히려 소비자들이 더욱 반발하게 된다는 점에 주목해야 합니다.

콘텐츠 홍보에서 중요한 3가지

트렌드 민감성, 네트워킹, 타이밍

콘텐츠 홍보는 쉽게 얘기해서 좋은 것은 많이 보여주고 나쁜 것은 최대한 안 보여주는 것입니다. 여기에서 중요한 것은 나쁜 것을 최대한 안 보여주는 것이지, 없다고 거짓말을 해서는 안 된다는 것이죠. 그렇기에 콘텐츠 홍보에서 중요한 것은 트렌드 민감성, 네트워킹, 타이밍입니다.

트렌드 민감성은 현재 어떤 것이 유행하는지 빠르게 캐치하고 홍보 활동에 반영할 수 있어야 한다는 것입니다. 콘텐츠는 그 시대의 문화적 흐름과 밀접한 관계가 있기 때문에 예전에 활용했던 것들이 '현재'에도 유효한지를 지속해서 검증하여 홍보활동에 반영해야 합니다.

네트워킹은 평소에 매체 및 제작사, 홍보 마케팅사 등 관계자들과도 우호적인 관계를 맺어서 좋은 홍보 아이템을 발굴하고 좋은 기사로 이어질 수 있도록 해야 한다는 의미입니다.

타이밍은 좋은 아이템을 적절한 타이밍에 노출하는 것이 중요하다는 것입니다. 아무리 좋은 아이템이라도 콘텐츠 공개 시점과 동떨어진 시점에 노출하는 것은 굉장히 아쉬운 일이겠죠.

#2. 콘텐츠 홍보 Q&A

홍보, PR, 커뮤니케이션의 차이는?

일반적으로 홍보라는 단어는 PR과 병행해서 사용하는 경우가 많고, 이를 풀어서 해석하면 커뮤니케이션 활동을 통해 과거(업적/실적), 현재(활동), 미래(계획)에 대해 긍정적으로 널리 알리는 게 목적인 업무라고 정의할 수 있습니다. 그러나 커뮤니케이션은 이보다 좀 더 포괄적인 개념입니다. 홍보 업무를 포함하여 의사소통을 통해 과거, 현재, 미래에 대한 긍정적인 정보 전달 외에도 부정적 보도에 대한 완화 및 외부 의사소통뿐만이 아닌 내부 의사소통도 포함한다고 볼 수 있습니다.

그렇기에 최근 홍보팀, PR팀으로 그 명칭을 사용하기보다는 커뮤니케이션팀으로 명칭을 사용하는 경우가 많은데 그 이유는 이 업무를 바라보는 시각이 달라졌고, 그 업무에 기대하는 범위가 더욱 커졌기 때문이 아닐까 싶습니다. 또한, 이제는 단순히 좋은 정보를 많이 알리는 것만이 중요한 게 아니라 그 정보를 어떻게, 누구에게, 언제 전달할 것인가 하는 소통적 측면을 예전보다 더욱 강조하게 되었고 주로 언론매체를 대상으로 응대하던 것에서 벗어나 제작사, 대행사, 파트너사, 투자사, 내부 연계 팀, 때로는 콘텐츠 소비자와의 직접 소통으로 그 범위가 확대되고 있습니다.

홍보는 회사를 대표하는 얼굴이고, 회사의 목소리를 대변하는 존재이기에 최대한 개인 의견은 배제하고 회사의 입장에서 생각해야 하며, 매체와의 관계를 쌓을 때도 공과 사는 확실히 구분해야 합니다. 그리고 시대는 급변하고, 낡은 정보는 도태됩니다. 어제의 해결책이 내일은 적용되지 않을 수 있습니다. 시대적 흐름에 따라 답이 바뀌기에, 홍보 업무는 정답이 없으며 순간순간에 맞춰 최적의 해결안을 도출하는 것이 중요합니다.

다른 팀과 구별되는
홍보팀의 특징은?

앞서 홍보와 마케팅의 차이에 대해 구별해 봤는데요. 이번에는 다른 팀과 구별되는 홍보팀(커뮤니케이션팀)의 특징을 살펴보고자 합니다.

첫 번째로, 홍보팀(커뮤니케이션팀)은 '단독으로 일하기가 거의 불가능한 팀'이라는 특징을 가지고 있습니다.

홍보팀은 제품/서비스(콘텐츠 회사의 경우 개별 콘텐츠나 콘텐츠를 제공하는 방식의 서비스, 콘텐츠 플랫폼 등), 또는 회사 자체(제작사, 배급사, 유통사, 플랫폼 회사 등)를 홍보해야 합니다. 그런데 제품, 회사에 대해 잘 아는 사람은 과연 누구일까요? 제품 제조/제작 과정을 아는 것은 제조팀(제작팀, 투자팀 등), 유통을 잘 아는 것은 영업팀(배급팀, 판권관리팀 등), 어떤 타깃에 어떤 매체로 접근하는지 계획을 수립하는 것은 마케팅팀, 회사의 실적을 관리하고 정확한 수치를 제공하는 것은 전략팀이나 재무팀일 것입니다. 누구 한 사람이 모든 정보를 가지고 있는 것이 아니라 모든 팀이 정보들을 조금씩 나누어 가지고 있습니다.

여기에서 홍보의 역할은 조각조각 나뉜 정보들을 모아 회사를 대표하는 입장에서 정리하고 그렇게 정리된 정보를 대/내외로 정확하게 전달하는 것이 됩니다. 그렇기에 홍보팀은 회사가 어떻게 돌아가고 있는지, 특정 정보는 어디에서 얻을 수 있는지 잘 알고 있어야 하며 그렇기에 타

팀과의 유기적인 소통이 매우 중요합니다.

두 번째로, 홍보팀(커뮤니케이션팀)은 '논리와 감성이 공존하는 팀'이라는 특징을 지닙니다.

홍보는 회사 또는 콘텐츠의 정확한 정보를 대/내외적으로 전달해야 한다는 목적을 갖게 됩니다. 그 과정에서 정보는 누가 들어도 '납득'할 만큼 논리적이어야 하고, 누가 들어도 '공감'할 만큼 감성적이어야 하죠. 즉, 홍보팀에서 작성하는 보도자료는 사실 위주로 + 논리적으로 작성하지만, 말로 설명할 때는 공감대 형성 위주로 + 감성적으로 접근할 필요가 있습니다.

아시다시피, 둘 다 중요하지만, 우선순위를 정하자면 내용물에 좀 더 초점을 맞추는 것이 좋겠습니다. 비유하자면 선물을 포장하는 것으로 생각할 수 있습니다. '내용물은 거짓 없이, 포장은 가능한 한 예쁘게' 해야 상대방이 선물을 풀기 전(예쁜 포장)과 다 풀어서 확인한 후(실제 내용물)에 둘 다 만족스럽게 생각할 수 있을 것입니다.

콘텐츠 홍보 전략을 짤 때 고려할 점은?

비단 콘텐츠 홍보뿐만이 아니라, 홍보업무를 할 때 한 번쯤 생각해 볼 만한 점을 크게 다섯 가지 꼽아봤습니다.

첫 번째, 같은 말을 하더라도 포장이 중요합니다. 내용물에 맞게 포장지를 선택할 필요가 있습니다. 다만, 그 포장지가 거짓이어서는 안 됩니다.

두 번째, 없는 것을 있다고, 있는 것을 없다고 거짓말해서는 안 됩니다. 순간의 거짓말이 회사, 브랜드 또는 콘텐츠의 전체 이미지에 타격을 주기 때문입니다.

세 번째, 좋은 것을 널리 알리는 게 중요합니다. 하지만 나쁜 것도 때로는 솔직하게 먼저 말할 필요가 있습니다. 숨기면 숨길수록 의혹만 불러일으킵니다.

네 번째, '솔직함'이 모든 것을 처음부터 끝까지 다 드러내라는 의미는 아닙니다. 관련된 모든 정보 중에 의도적으로 특정 정보를 숨기거나, 부풀리거나, 거짓 정보를 꾸며내지 않는 것입니다.

다섯 번째, 나쁜 정보나 사건은 (대부분) 기사화되는 것을 피할 수 없습니다. 다만, 평소의 언론관계를 잘 쌓아두고 투명한 소통을 한다는 전제하에 매우 드물게 위기를 기회로 바꿀 수 있을 뿐입니다.

콘텐츠 홍보에서
위기관리는 어떻게 하나요?

예전과는 달리 사람들은 이제 일방적으로 기업에서 내보내는 정보를 무턱대고 믿기보다는 그 정보를 검증하고 확인하려는 경향이 강합니다. 빠른 정보의 공유가 가능해진 요즘에는 나쁜 것을 좋다고 포장하면 언젠가는 그 실체가 드러나기 때문에 역효과가 나기 마련입니다. 나쁜 것을 굳이 먼저 알릴 필요는 없지만, 부정적인 이슈가 발생했을 때 그것을 감추려 포장하기보다 커뮤니케이션 역량을 갖춘 전문가가 사실에 기반한 정확한 정보 전달과 합리적인 입장을 대신 전달하여 충격을 완화하는 것이 중요합니다.

특히 최근 콘텐츠 업계에서는 콘텐츠 제작에 참여한 관계자들의 도덕성 문제와 콘텐츠 기획 시 도덕적 올바름 또는 정확성에 대한 지적이 부각되고 있습니다. 이에 콘텐츠 홍보의 위기관리 역량 또한 중요하게 떠오르고 있습니다.

최근에는 위기관리가 더욱 까다로워졌는데요. 그 이유는 부정적인 이슈가 발생할 경우 인터넷 등 다양한 매체를 통해 급속도로 확산하기 때문입니다. 한 번 확산하기 시작된 소문, 의혹은 쉽사리 가라앉거나 없애기 쉽지 않습니다. 게다가, 위기가 발생하는 분야들이 다양해졌습니다. 배우의 사생활만 해도 기존에는 범죄행위에 가까운 것들만이 정보의 유출로 일부 기사화가 되었었지만, 이제는 범죄뿐만이 아니라 학창 시절의 학교폭력, 공식/비공식 석상의 부적절한 언행이나 행동, 사회 통념과 어긋나는 개인 신념의 표출 등 여러 가지 측면이 부정적 이슈로 확산하기도 합니다. 때로는 연예인 자체보다 그 연예인이 친하게 지내는 지인에게 부정 이슈가 생겼다거나 출연한 콘텐츠가 잘못된 내용을 다뤄 뭇매를 맞는 경우에도 콘텐츠와 같이 묶여 위기가 발생하곤 합니다. 과연 예방이 가능할까 싶을 정도로 생활 곳곳에 위기가 발생할 여지가 많은 것이죠.

그렇다면 위기가 발생했을 때는 어떻게 해야 할까요? 위기관리의 핵심 키워드 세 가지를 뽑아 보았습니다.

첫 번째, '속도'입니다. 부정 여론 확산을 억제하기 위해 이슈 발생 초기에 팩트를 기반으로 빠르게 대응해야 합니다.

두 번째, '솔직함'입니다. 가능한 숨기지 말고 문제가 된 이슈에 대해 직접 언급하며 진심이 담긴 사과를 해야 합니다.

세 번째, '통일성'입니다. 같은 이슈에 대해 같은 이야기를 해야 한다는 것인데요, 오늘 말하는 것과 내일 말하는 것이 다르면 안 될 것입니다.

또한, 사과할 때 국민적 정서와 사회적 분위기를 존중하는 자세를 보이며 가능한 한 향후 구체적으로 어떻게 행동하겠다고 언급하는 것이 이슈를 가라앉히는 데에 도움이 됩니다.

돌아선 연인의 마음을 붙잡는 것이 쉽지 않듯이, 이미 부정적인 색안경을 끼고 바라보는 사람들의 마음을 돌리는 것 또한 정말 쉽지 않습니다. 하지만 '비 온 뒤 땅이 굳어진다'는 속담처럼 때로는 위기를 성숙한 인격을 보여주는 기회로 삼을 수 있을 것입니다.

#3. 콘텐츠 마케팅 Q&A

타깃은 어떻게 설정하나요?

일반적으로 상업영화의 경우에는 보통 콘텐츠 소비의 핵심층으로 분류되는 2030 연령대의 타깃을 중심으로 콘텐츠의 성격에 맞게 위, 아래로 타깃을 확장하여 정합니다. 2030 타깃은 대부분의 상업영화에서 기본으로 설정하는 타깃이고, 기본 타깃에서 10대로 내려갈 것인지 4050 타깃으로 올라갈 것인지 고민하게 됩니다.

일반적으로 사극의 경우에는 2030 타깃에서 4050 타깃으로 확장하는 경우가 많습니다. 그리고 마블 시리즈같이 상대적으로 젊은 감각의 영화인 경우에는 2030 타깃을 중심으로 하되 서브로 10대 타깃을 확장하는 경우가 많겠죠.

특히 애니메이션의 경우에는 한 번 더 생각해 볼 것이, 기본적으로는 어린 연령을 타깃으로 하지만 티켓을 구매하는 것은 보호자(특히 엄마!)임을 잊지 않는 것이 좋습니다. 그렇기 때문에 마케팅 카피에는 부모들에게 소구할 만한 내용(ex. 교육적이다, 좋은 교훈이 있다, 감동적이다 등….)이 가미되는 경우도 꽤 많습니다.

독립영화, 소규모 영화, 예술영화의 경우에는 콘텐츠의 특성, 그리고 마케팅 비용적인 이슈로 완전히 코어 타깃에만 접근하는 전략을 취할 때도 있습니다. 그러나 일반적인 상업영화에서는 오히려 특정 관객층을 세분화하고, 타깃별로 다른 메시지를 전달하거나 타깃별로 선호하는 매체를 따로 선정하여 광고를 싣는 데의 시간과 돈이 더 든다는 점을 감안해야 합니다. 이럴 경우에는 일반적으로 '대중'이 선호할 만한 가장 쉽고 간단한 메시지를 여러 채널에서 동시에 전달하는 것이 더 효율적일 수 있습니다.

영화에 있어 1년 중 가장 큰 시장은 여름 시장(보통 7월 말 8월 초로 표현합니다.)이고, 그다음 겨울 시장(크리스마스 전후~연말), 명절인 설과 추석 시장 순입니다. 일반적으로 명절 시장은 사극 개봉을 많이 하는 편입니다. 사실 이 시기는 전통적으로 외화보다는 한국 영화들이 주로 개봉하던 시장입니다. 코로나 때문에 지금은 좀 바뀌었지만, 주로 타깃을 넓게 잡고, 4050 타깃으로 확장할 수 있는 영화들이 개봉하는 편입니다.

개봉일은 어떻게 정하나요?

영화의 개봉일은 보통 배급사(콘텐츠를 영화관에서 상영할 수 있게 유통 과정을 담당하는 곳)에서 1년 단위로 대략적인 개봉 시기를 정해둡니다. 영화마다 어떤 시기에 개봉하면 좋을지를 미리 판단하는데 영화의 계절감, 규모, 타깃, 동시기 유사 장르 개봉 여부 등 다양한 요소들을 고려하여 최적의 개봉일을 가늠합니다. 라인업은 보통 1년 단위로 정하지만, 배급사별로 향후 2~3년, 길면 4~5년까지의 라인업을 미리 생각해 두는 경우도 있습니다.

가장 자신 있는 콘텐츠(블록버스터, 유명 배우가 출연했거나 흥행작을 다수 보유한 감독이 연출하는 기대작 등)가 제일 좋은 개봉일, 즉 관객이 가장 많이 올 것으로 예상되는 좋은 시기를 선점하고 다른 콘텐츠들이 그 전후로 개봉을 정합니다.

비슷한 규모의 상업 영화가 같은 날에 개봉하는 것을 꺼리는 편이고 가능한 한 겹치지 않게 라인업을 정합니다. 특히 한국 영화 vs 외화보다 한국 영화 vs 한국 영화끼리 붙게 되면 타깃이 많이 겹친다고 보기 때문에 스크린 확보가 그만큼 어려워져 가능한 같은 날에 개봉하는 것은 피하려고 합니다. 이럴 경에는 보통 최소 2주 간격을 벌리는 것이 일반적이지만, 때로는 정면 대결을 하며 같은 날에 맞붙는 경우도 드물게 있습니다.

영화 마케터들은 개봉 시기가 정해지면 비슷한 시기에 개봉하는 다른 작품들과 어떤 차별점을 가져갈지를 고민합니다. 만약 거의 비슷한 규모의 작품이 개봉한다면 경쟁작 대비해서 어떻게 인지 선호를 더 많이 끌어모을 것인지, 시장을 어떻게 선점할지를 고민합니다. 그러나 경쟁작 대비해서 상대적으로 영화의 규모가 더 작거나 대중성이 덜 확보된 작품이라면, 좀 더 섬세하게 타깃을 좁혀서 집중적, 효율적으로 마케팅하는 전략을 많이 구사하게 됩니다.

포스터를 만들 때 고려할 점은?

영화 포스터는 이미지, 제목, 카피, 그 외 정보로 구성됩니다. 보통 상업 영화 포스터를 만든다고 하면 티저 포스터, 메인 포스터 2종을 기본으로 하고 그 외에 캐릭터 포스터, 특별 포스터 등이 상황에 따라 더해지게 됩니다.

티저 포스터는 티저 예고편처럼 영화의 분위기, 이미지, 느낌을 전달하는 것이 주목적이기 때문에 메인 포스터에 비해서 좀 더 자유롭고 표현의 폭이 넓은 편입니다. 극단적으로 배우의 얼굴이 안 나오거나, 뒷모습 또는 옆모습으로 노출하거나, 인물을 아주 작게 넣는다거나 하는 다양한 표현 방식이 가능하죠.

하지만 메인 포스터는 그에 비해 조금 더 제약이 많은 편입니다. 아무래도 '메인'이라는 단어에서 주는 느낌이 큰 만큼 메인 포스터에는 티저 포스터 때 용인되던 자유로운 표현들보다 조금 더 보수적으로 접근하는 편입니다. 우리나라 영화 포스터가 거의 비슷하다고 느끼게 하는 것이, 아마 메인 포스터에는 소위 말하는 배우 '얼굴빵'(얼굴을 강조하는, 얼굴이 차지하는 비중이 높은 시안) 포스터가 많기 때문일 것입니다. 영화의 가장 큰 셀링 포인트가 '배우'인 경우가 많다 보니, 그 배우의 얼굴을 아주 크게 부각하는 포스터가 주로 사용되죠. 메인 포스터는 그래서 주로 투톱(two - top, 주연이 2명일 경우) 얼굴이 크게 나오거나, 완전

주연급 1명에 주변 캐릭터가 많은 경우라면 주연 1명의 얼굴 또는 몸을 크게 넣고 다른 캐릭터들의 얼굴을 작게 해서 한 포스터에 다 넣는다거나 하는 표현들이 많이 사용됩니다.

그리고 영화 제목을 표기할 때도, 아주 멋스러운 필기체를 사용할 때도 있지만 주로 두껍고 진한(bold) 글씨체를 사용해서 멀리서 봐도 제목을 읽을 수 있을 정도로 강조하는 경우가 많습니다.

영화 포스터를 두고 정보 전달의 목적이냐, 포스터 자체를 하나의 예술 작품으로 볼 것이냐, 두 가지 측면이 다 공존하기 때문에 이를 조율하기 위해서는 많은 이해관계자들의 확인, 때로는 논쟁, 협의 등이 필요합니다. 디자이너 입장에서는 포스터의 심미적 가치를 높이고 싶을 것이고, 투자사의 입장에서는 어떻게든 영화의 인지도를 높여 수익을 내는 것이 중요하기 때문에 이러한 가치들이 충돌하는 경우가 종종 있습니다. 그래도 최종적인 결과물은 모든 이해관계자의 치열한 논의, 그리고 합의에 따라 만들어진 것임을 잊지 않는 것이 좋겠습니다.

티저(teaser)와 메인(main)의 차이

티저(teaser) 예고편과 메인(main) 예고편의 차이는 티저는 그 영화의 전반적인 분위기, 이미지를 담는 데에 좀 더 집중하고 메인에서는 이 콘텐츠가 어떤 내용으로 흘러갈지에 대한, 스토리를 드러내는 데에 집중하게 됩니다. 마케팅 기간이 2달 정도로 충분하다면 먼저 티저를 공개해서 이 콘텐츠가 어떤 느낌인지부터 맛보기로 보여주고, 2주~1달 뒤쯤 메인 예고편을 새롭게 공개하면서 스토리를 노출하는 흐름으로 많이 진행되는 편입니다.

상업영화 예고편을 만들 때, 티저 예고편과 메인 예고편 2종으로 하는 경우도 있고 메인 예고편 1종으로 하는 경우도 있습니다. 보통 영화마케팅 집중 기간을 1개월 반~2개월 정도로 잡는데 개봉을 다소 임박하게 잡을 경우, 예를 들면 3~4주밖에 마케팅 기간이 없을 때는 예고편을 1종만 만드는 경우도 종종 있습니다.

그 외에도 캐릭터 영상, 제작기 영상, 하이라이트 공개 등 여러 영상을 만들기는 하지만 예고편이 가장 중요한 선재이기 때문에 공을 많이 들이고, 최적으로 노출할 수 있는 시기를 정해서 광고도 많이 붙이게 됩니다.

그중 제작기 영상은 촬영 당시의 현장감을 살리고 영화 내에서 세트나 조명, 소품 등이 어떻게 만들어지는지, 배우들의 현장 촬영 인터뷰를 섞어서 만드는 경우가 많습니다. 그래서 주로 영화 개봉 한 달 전쯤 진행하는 제작보고회 행사에서 공개하고 배우와 감독님께 촬영 당시의 기억을 환기해 촬영장 에피소드를 전하거나, 어떤 부분을 특별히 더 신경 써서 촬영에 임했는지 등의 이야기들을 풀어나가는 데에 도움을 줍니다.

캐릭터 영상은 전체적인 스토리보다는 영화 속 주요 캐릭터들을 짚어주고 콘텐츠 내에서 어떤 관계성과 역할을 맡는지에 대해 집중하는 영상이라고 구분하면 됩니다.

영화 개봉 전 어떤 행사를 하나요?①

제작보고회

한국 영화의 경우에는 대부분 제작보고회를 필수로 합니다. 영화에서는 주로 '보고회'라고 하고 드라마에서는 '발표회'라는 말을 쓰는데 비슷한 목적의 행사라고 보시면 될 것 같습니다.

제작보고회는 보통 영화 개봉 한 달 전후로 많이 진행합니다. 이때는 예고편과 제작기 영상을 주로 보여주며, 영화의 주요 키워드를 중심으로 주연 배우와 감독을 모시고 이야기를 나누는 행사입니다. 특정 영화가 언제쯤 개봉할 것이고, 그 영화를 찍는 데에 어떤 수고가 들었으며, 촬영 당시 재미있었던 에피소드 등을 배우와 감독의 입을 통해 생생하게 전달합니다. 그래서 보통 기자들을 초청해 행사를 진행하고 오전 11시쯤 시작해서 일반적으로 오프닝 - 배우 및 제작진과의 이야기 -질의응답 - 사진 촬영 - 마무리 순서로 1시간~1시간 30분 내외로 마치게 됩니다.

코로나19 이후로 비대면으로 행사를 진행하는 경우도 많아져서, 유튜브나 네이버TV 등 영상을 생중계할 수 있는 플랫폼에서 행사를 송출하고 기자들에게 링크를 사전에 공유하여 행사를 볼 수 있게 합니다. 드라마의 경우에는 보통 방영일 방영 1~3일 전에 주로 진행을 많이 하고, 온라인 제작발표회로 진행되기도 합니다. 드라마도 출연 배우와 감독, 또는 작가 등을 초청하여 드라마 스토리와 캐릭터에 대한 이야기를 나누고, 첫 방영 전 관전 요소들에 대해 짚어주는 것이 일반적입니다.

영화 개봉 전 어떤 행사를 하나요?②

시사회

영화 개봉 1~2주 전쯤에는 언론배급 시사회를 진행하게 됩니다. 언론배급시사회는 말 그대로 언론 시사와 배급 시사회를 합친 말로, 영화 출입 기자들을 대상으로 하는 시사회와 배급 관계자, 즉 극장 관계자나 타 배급사 관계자 등을 대상으로 하는 시사회를 말합니다.

이 시사회는 매우 중요한 것이, 완성된 영화를 말 그대로 '최초로' 공개하는 것이어서 그 의미가 크고, 시사회의 반응에 따라서 영화에 대한 첫 평가가 이루어지기 때문에 관계자들이 모두 긴장하는 행사입니다. 예고편 등 영화의 일부만 보여줬던 제작보고회와 달리 영화의 처음부터 끝까지 모든 내용을 노출한다는 점이 차이가 있고요. 보통 시사회가 끝난 후 기자간담회를 통해 배우와 감독이 영화에 대한 기자들의 질문에 답변하게 됩니다. 이 자리에서 배우들의 캐릭터 해석에 대한 의견을 묻기도 하고, 감독님께 특정 장면의 연출 의도 등에 대해서도 날카로운 질문들이 오고 가죠.

외화의 경우에도 제작보고회는 안 하지만, 언론배급 시사는 반드시 진행합니다. 비록 여러 사정에 의해 개봉일 오전에 하게 되더라도 말이죠. 그리고 이렇게 언론배급 시사를 통해 영화를 처음 공개한 이후로부터 일반인을 대상으로 하는 시사회를 진행합니다. 영화가 잘 만들어졌을 경우, 시사회를 빨리 진행해서 좋은 리뷰를 많이 퍼뜨릴 수 있게 하고 일반인들을 대상으로 하는 시사회도 적극 진행하게 됩니다. 가끔, 주변에서 영화 시사회에 당첨되었다고 하는 것이 보통 일반 시사회에 참석하게 되는 것을 의미할 때가 많아요. 누구보다 빨리 콘텐츠를 보고 싶어 하는 무비 고어(movie goer)나 영화 팬들을 중심으로 시사회 모객을 하게 되고, 영화를 본 사람들이 SNS에 평을 올리거나 주변 사람들에게 추천하는 입소문 효과를 기대하게 됩니다.

영화 개봉 전 어떤 행사를 하나요?③

쇼케이스, 인터뷰

제작보고회가 기본적으로 기자들을 대상으로 영화에 대한 정보를 알리고 기사화를 유도하는 행사라면, 쇼케이스(showcase)는 일반인들을 대상으로 행사의 참여 기회를 주고 SNS 확산을 통한 자발적인 입소문을 유도하거나 행사 내용을 갈무리하여 매체에 보도자료로 배포할 용도로 행사를 진행하게 됩니다.

쇼케이스는 그래서 주로 팬층이 두꺼운 배우가 영화에 출연할 경우 기획합니다. 이럴 경우 행사 참여자를 모객할 때도 경쟁이 매우 치열하죠. 그래서 쇼케이스는 영화에 대한 소개나 정보도 전달하지만, 팬들이 직접 참여하는 행사이기 때문에 배우들의 팬서비스도 많은 편입니다. 배우들이 가끔 진~한 팬서비스를 해 줄 때는 그 자체가 화제가 되어 SNS 등에 입소문이 나기도 합니다.

그리고 개봉 전에 대부분 배우와 감독님들이 사전에 인터뷰를 진행합니다. 언론배급시사회에서 영화를 본 기자들이 기자간담회에서 해소하지 못한 궁금증을 배우와 감독에게 인터뷰를 진행하며 상세하게, 더 깊이 있게 질문하죠. 인터뷰는 보통 영화 개봉 전에 진행해서 기사화를 많이 시키는 것을 목적으로 합니다. 그러나 때로는 부득이하게 영화 개봉 이후로 진행하게 되는 경우도 있습니다. 그리고 영화 개봉 전에는 주로 주연 배우분들과 감독님 위주로 인터뷰를 진행한다면, 영화 개봉 이후에는 신 스틸러(scene stealer)나 뛰어난 활약을 보인 조연 배우들, 그리고 때로는 제작진들에게 별도로 인터뷰를 요청하는 경우도 종종 있습니다. 음악, 소품, 기술뿐만이 아니라 시나리오 작가 등 다양하게 조명되는 경우에는 영화 개봉 이후에도 계속 화제를 이어가기에 좋습니다.

이와 좀 다르게, 드라마에서는 보통 드라마 종영 후 인터뷰를 진행하게 됩니다. 영화의 경우 대부분 인터뷰를 거의 진행한다고 보지만, 드라마의 경우는 종영 이후에 해서 주로 시청률이 높았거나 화제가 되었던 드라마들 위주로 인터뷰를 진행하는 편입니다. 그렇기에 주로 드라마가 끝난 소감 및 사랑받았던 캐릭터에 대한 질문들이 많이 나오고 그에 대한 답변을 주로 하게 됩니다.

영화만이 하는
독특한 행사가 있나요?

한국 영화의 경우에는 '무대인사'라는 특별한 행사를 진행합니다. 무대인사는 보통 영화 개봉 주 주말에 그 영화가 상영되는 특정 영화관에서 영화 시작 전 또는 후로 주연배우와 감독들이 관객들에게 감사 인사를 하는 것을 말합니다. 때로는 영화 개봉 전 일반 시사회 때 깜짝 행사로 진행할 때도 있습니다. 개봉 2주 차까지 하는 경우도 있고, 때로는 많은 관객들이 찾아주는 것에 감사해서 누적 관객 수 OOO 만 명 돌파 기념으로 하는 경우도 있습니다. 무대인사를 하겠다고 결정이 되면, 행사를 진행할 관에 대해 미리 공식 계정 등을 통해 고지하고 영화관 예매 사이트에도 안내합니다. 보도자료로 알릴 때도 있죠.

관객들도 그 영화를 보러 갈 생각이었는데 마침 배우들이 직접 인사를 하러 온다고 하면, 영화가 더욱 기억에 남겠죠? 인기 있는 배우가 나올 경우에는 정말 빨리 매진되기도 합니다. 그래서 인기 배우가 나올 경우에는 무대인사를 빨리 결정하고, 상영관 예매를 시작해서 예매율을 높이는 데에도 도움이 됩니다. 그리고 영화관에 가득 찬 사람들이 배우들을 응원하는 피켓을 들고 올 때도 많은데, 그래서 무대인사를 하면 배우들과 감독들도 많은 관객들이 이렇게 영화를 사랑해 주고, 응원해 주는 것에 고마움과 기쁨을 느끼는 것 같습니다.

영화를 한창 촬영할 때, 현장 공개를 하기도 합니다. 현장 공개는 사실

제작하는 사람들 입장에서는 다소 부담스러울 수는 있지만, 영화의 특정 세트가 굉장히 볼 만하다거나, 영화에 대한 기대감과 인지도를 사전에 확보하고자 하는 목적이 있으면 여러 이해관계자가 논의해서 진행 여부를 결정합니다. 취재할 만한 그림이 있거나 기사화할 만한 재미있는 소재가 있으면, 그 장면을 중심으로 현장 공개를 결정하고 기자님들을 불러 현장을 보여주고 기사화를 유도합니다. 그러나 스포일러에 대한 우려가 있는 영화의 경우에는 아무리 장점이 많아도 현장 공개는 조금 어렵겠죠.

그리고 영화 콘텐츠의 특성에 맞춰 GV라는 행사도 자주 기획되는데, GV는 Guest Visit의 약자로 특정 패널을 모시고 영화에 대한 담론이나 의견을 나누고 관객들도 질의를 통해 참여할 수 있게 하는 행사입니다. 예를 들면, 요리와 관련된 영화일 경우에는 감독님과 유명 요리사를 초대해서 이야기를 나누거나, 동물과 관련된 영화의 경우 출연 배우와 동물 전문가를 초대해서 이야기를 나누거나 할 수 있습니다. 그리고 보통 영화에 대한 식견이 매우 높은 분을 초대하여 행사의 모더레이터(moderator, 중재자 또는 사회자)로 참석하게 하는 경우가 많습니다. GV는 영화를 제작한 사람 외에도 다양한 시각으로 조명할 수 있고 관객들도 직접 참여가 가능하다는 점에서 참여형 행사로 인기가 있습니다.

좋은 콘텐츠 마케팅이란?

본질을 호도하지 않는, 간결하고 쉬운 마케팅

모든 (콘텐츠) 마케팅은 기대치와의 싸움입니다. 마케팅 행위는 기대치를 올리기 위한 것이지만, 사실 기대치가 낮아야 콘텐츠를 봤을 때 만족의 역치가 낮아져 평이 좋을 가능성이 높죠. 아이러니합니다. 어떤 영화는 기대치가 너무 높았기에, 실제로는 그다지 나쁘지 않았어도 굉장한 혹평을 받는 경우도 있습니다. 이런 영화는, 어떤 마케팅을 했어도 그 높은 기대치와 싸워야 했기 때문에 더욱 힘들었을 겁니다.

좋은 필모그래피를 가지고 있는 감독 연출 + 인지도 높은 배우 섭외 + 높은 제작비, 보통 이 조합의 영화들은 기대를 안 하려야 안 할 수가 없는, 높은 기대치를 갖고 시작하는 영화입니다. 높은 기대치를 갖고 시작하는 영화는 인지도와 호감도가 이미 높은 상태로 시작합니다. 좀 과장해서 표현하면, 언제 개봉할지만 알리면 되는 영화죠. 구구절절 설명할 필요도 없습니다. 포스터나 예고편에, 'XX 감독 연출, XX 배우 출연, 올해 최고의 블록버스터! 기대작!' 이라고 적으면 그것으로 설명 끝, 입니다.

그러나 모든 영화가 다 이러한 조건을 가지고 시작하는 것은 아니며, 이러한 조건을 가지고 시작한 영화들이 100% 흥행하는 것도 아닙니다. 여기에서 소위 말하는, 영화의 흥행은 도박과도 같다는 말이 나오는 것이죠. 예측할 수 있는 것처럼 보이다가도 예측이 불가능하다는 점이 콘텐츠 산업의 매력이기도 하고, 가장 어려운 점이 아닐까 싶습니다. 보통 이렇게 좋은 조합의 영화들은, 그러한 조합만 팔아도 마케팅의 반 이상을 해냅니다. 뭐 하나 공개했다고 하면 그 배우의 팬들이, 감독의 지지자가, 그리고 여러 대중의 입에 오르내리죠. 이런 영화들은 참, 마케팅할 맛 날 것 같습니다.

그러나 앞서 얘기했듯이 모든 좋은 것들을 다 모아 둔 콘텐츠라도 흥행에 실패하는 경우도 많습니다. 이유는 다양합니다. 여러 이유 중 하나를 꼽아 보자면요, 영화의 본질과 어긋나는 마케팅을 할 경우입니다.

사람들은 자극적인 것을 좋아합니다. 조회수가 높은 동영상, 인기가 높은 기사에는 어김없이 자극적인 문구들이 등장하곤 합니다. 성적인, 폭력적인, 은밀한, 충격적인 문구도 때론 서슴지 않고 사용합니다. 콘텐츠 마케팅을 할 때 이러한 유혹에 빠지는 경우도 많습니다. 특히 무엇을 해도 화제가 안 되고, 호감도를 올리기는커녕 인지도조차 확보하기 쉽지 않을 때 영화의 본질에는 어긋나지만 조금만 자극적으로 포장해 볼까, 하고 생각하게 되는 것이죠. 실제 영화와 크게 관련이 없어도 현재 화제가 되는 사건에 왠지 숟가락을 얹어야 할 것 같고, 보도자료에도 자꾸 자극적인 단어를 쓰고 싶어집니다.

그러나 요새는 어떤 시대입니까? 예전에는 마케팅 단에서 정보의 조절이 가능했지만, 지금은 정보가 어딜 가도 넘쳐나고 콘텐츠 소비자들도 정보를 알아서 생산해 내는 시대인데 본질에 어긋나는 마케팅을 할 경우에는 오히려 소비자들은 더욱 반발하게 됩니다. 온갖 자극적인 문구로 소위 말하는 어그로(나쁜 방향에서의 관심)를 끌어 놓고, 실제 뚜껑을 열어보니 그러한 내용은 거의 없다시피 한다면 사람들은 '속았다'는 기분을 느끼며 그 콘텐츠에 더욱 심한 혹평을 쏟아낼 것입니다. 물론, 그 혹평이 마케팅의 잘못인지 본편 자체가 원래 재미없어서 그런 것인지 알 수는 없습니다. 다만, 마케팅 단에서 평점에 미칠 수 있는 영향은 영화 본질과 너무 동떨어진 마케팅을 할 경우 소비자들의 거부감을 줄이는 것에 집중해야 하는 것이죠.

실제로 많은 영화들이 마케팅 소구점을 잡기 어렵습니다. 특히 복합장르이거나, 시나리오와 본편의 차이가 큰 경우에는 더더욱 어렵지요. 복합장르의 경우에는 대중들에게 더 소구할 만한 장르를 핵심 단어로 삼게 됩니다. 예를 들어 액션, SF, 드라마의 요소가 다 있는 콘텐츠의 경우 액션 만족도가 크면 '액션', 액션 쾌감이 크지 않으면 '드라마'로 메인 장르를 정하죠. 그리고 특정 장르의 대중성이 높지 않으면, 해당 장르를 핵심 단어로 삼기보다는 보조 단어로 넣는 것이 조금 더 안전합니다. 보통 SF 장르를 메인으로 많이 쓰진 않는데(물론, 쓰는 경우도 많습니다. 최근 제작 기술들이 높아지며 SF 장르를 강조하는 콘텐츠들도 많아졌죠) 콘텐츠의 개성을 강조하고 추가적인 설명이 필요할 때 보조적으로 사용하는 경우도 많습니다.

그러나 때로는 의도적으로 '생활 밀착 로맨스' 같이 장르에 수식어를 붙여 마케팅 소구점으로 삼기도 합니다. 주로 특정 타깃에만 집중적으로 소구할 때 많이 쓰는 방법이고 타깃이 넓을 때는 드라마에서 일부 사용할 뿐 영화에서는 잘 사용하지 않는 방법입니다. 시나리오와 본편 차이가 큰 경우에는 실제 본편 공개 이후 관객들이 만족하지 못할 가능성이 높습니다. 제일 어려운 케이스죠. 마케팅 단에서는 그래도 본편과 많이 동떨어지지 않는 최대한의 셀링 포인트를 찾습니다. 영화 개봉 전 모니터링 시사회를 하게 되면 질문지에 관객이 가장 만족해하는 부분이 어디인지 객관식, 주관식으로 조사하게 됩니다. 그리고 이럴 경우에는 본편 내용을 많이 노출하지 않고 이미지와 느낌 위주로 마케팅을 진행하게 됩니다.

보통 좋은 영화들은 마케팅 소구점이 명확한 편입니다. 한 줄로 간단하게 설명되지 않는 영화는 마케팅하기도 어렵거니와 대중들도 어려워합니다. 영화 내용은 복잡하고 어렵더라도 마케팅 단에서는 명쾌하고 단순하게 표현하는 것이 대중과의 괴리를 줄이는 데 도움이 됩니다.

결국, 좋은 마케팅은 본질을 호도하지 않는 간결하고 쉬운 마케팅입니다. 복잡하고 현란한 단어, 자극적인 표현으로 가리는 것은 오히려 그 콘텐츠의 장점마저 퇴색시켜 버립니다. "그 콘텐츠 어때?"라고 물어볼 때, 딱 한 단어, 한 문장이 확실하게 떠오른다면 그 콘텐츠 마케팅은 성공한 것입니다. 좋은 마케팅이 콘텐츠의 흥행까지 담보해 주지는 못하지만, 그 가능성을 높여준다는 점은 꼭 기억하시길 바랍니다.

#4. 콘텐츠 산업 더 알아보기 : 개념 편

숏폼, 미드폼, 롱폼이 뭔가요?

콘텐츠 RT(Running Time, 상영길이)에 따른 분류 방법 콘텐츠 RT(Running time)는 콘텐츠의 길이를 말합니다. 모바일로 콘텐츠를 보는 트렌드가 확산하면서 RT 또한 점점 줄어드는 추세였는데요. 콘텐츠 길이에 따른 구분과 특징에 대해 살펴보도록 하겠습니다.

보통 영화의 경우에는 평균 RT를 2시간 전후로 봅니다. 드라마의 경우에는 1편당 1시간 RT를 기준으로 삼습니다. 이를 통틀어 Long-Form(롱폼) 콘텐츠라고 합니다. 기존 레거시 미디어(방송, 영화관 등)에서 주로 선보이던 포맷으로 길이가 긴 콘텐츠입니다. 그리고 모바일 디바이스의 확산과 콘텐츠 전송 기술의 발전, 유튜브 이용률의 증대 등 여러 요인이 복합적으로 작용하며 최근에는 짧은 길이의 콘텐츠가 주목받게 되었는데요, 보통 편당 5분~15분 내외의 콘텐츠를 Short-Form(숏폼) 콘텐츠로 칭합니다. 또한 최근 OTT 플랫폼이 성장하면서 새롭게 등장한 포맷, Mid-form(미드폼) 콘텐츠가 있는데요. 평균적으로 편당 20~30분 RT 콘텐츠를 지칭합니다.

기존 롱폼 콘텐츠는 편당 완성도가 높은 대신 제작비가 많이 소요됩니다. 숏폼 콘텐츠는 제작비는 적게 소요되지만 때로는 드라마 장르에서 캐릭터 구축과 스토리 전개에 있어 충분히 반영하지 못한다는 한계를 갖기도 합니다. 이러한 단점들을 보완하고, 효율적 수준의 예산과 퀄리티를 보장하는 미드폼 콘텐츠들이 등장했습니다. 특히, OTT 플랫폼의 오리지널 시리즈 제작 시 선호되는 포맷입니다. RT를 기준으로 이렇게 콘텐츠를 구분하게 된 것은 그다지 오래된 일은 아니고, 앞에서 제시한 1시간, 30분, 10분이라는 기준 또한 고정된 것은 아닙니다. 대략적인 구분 기준이 그렇다고 생각하시면 될 것 같습니다.

숏폼 콘텐츠와 미드폼 콘텐츠의 경우에는 이동하면서 가볍게 즐기기에 적당합니다. 출퇴근 시간 또는 잠깐 여유 시간이 생길 때 빠르게 볼 수 있죠. 롱폼 콘텐츠는 상대적으로 길기 때문에 미리 시간 계획을 세워 보는 경우가 많은 것 같습니다. 그렇기에 숏폼 콘텐츠와 미드폼 콘텐츠의 경우에는 스토리의 전개가 1편씩 완결되는 경우도 많고 이야기 전개가 빠릅니다. 롱폼 콘텐츠의 경우에는 조금 더 긴 호흡을 가져갈 수 있고, 캐릭터와 인물 설명에 좀 더 많은 시간을 할애할 수 있다는 장점을 가지고 있습니다.

최근에는 짧은 콘텐츠의 소비가 증가함에 따라 이 포맷에 너무 익숙한 나머지, 롱폼 콘텐츠를 볼 때 다소 지루하고, 전개가 느리다고 생각하는 경우도 있는 것 같습니다. 그러나 어떤 콘텐츠를 기획하고 만들 때는 그 콘텐츠에 가장 적합한 포맷, 길이를 고민하기 마련입니다. 그렇기에 콘텐츠마다, RT마다, 포맷마다 각자의 매력이 있고 좋은 기획과 만날 때 상승효과를 내는 것 같습니다.

오늘 퇴근길에는 숏폼 예능 한 편 보고, 자기 전에는 미드폼 드라마를 한 편 보고, 주말에는 영화관에서 영화를 한 편 봐야겠네요. 그리고 RT마다 다른 매력, 다른 특징들을 느껴보시길 바랍니다.

영화, 드라마, OTT 작품의 제작과 배급 차이점

최근 OTT 플랫폼이 성장하면서 영화, 드라마, OTT 작품의 제작과 유통 과정이 예전처럼 확연히 구분된다기보다는 각각의 콘텐츠에 따라 다른 전략을 선택하게 됩니다. 타깃, 예산, 장르, 수익모델 등 다양한 요소를 고려하여 최적의 유통 전략을 콘텐츠별로 짜는 것이 중요해지고 있습니다.

제작에 있어서 큰 차이는 없지만, 보통 배우 섭외와 기획개발 과정에 있어 영화가 다른 콘텐츠에 비해 프리 프로덕션(pre-production, 콘텐츠 제작 사전 준비) 기간이 상대적으로 길고, 좀 더 시간이 걸리는 편입니다. 그러나 이러한 차이는 콘텐츠의 예산이나 규모가 커질수록 전체적인 프로덕션 기간이 길어지기에 절대적인 것은 아닙니다.

그리고 배급, 즉 유통의 경우에는 영화의 경우 예전에는 영화관 - 부가 판권(TVOD, 단건 판매) - 부가 판권(SVOD, 구독형 플랫폼 판매) 및 채널 판매(TV 방영권 등)로 진행되는 경우가 대부분이었는데 코로나19 유행 이후에 영화관을 건너뛰고 IPTV의 단건 판매로 직행하거나 OTT 플랫폼에서 바로 구독할 수 있는 콘텐츠로 공개하는 경우도 많이 늘어났습니다.

드라마의 경우에도 일반적으로 방송(채널) - 부가 판권(TVOD, SVOD) 의 과정을 거쳤지만, 요새는 콘텐츠에 따라 방송을 건너뛰고 OTT 플랫폼으로 직행하거나, 때로는 콘텐츠 자체는 무료로 공개하되 광고나 다른 수익모델을 붙여 콘텐츠 자체의 수익성을 내는 케이스도 종종 있습니다.

콘텐츠, 소장에서 구독으로

콘텐츠 소비 흐름 : DVD 소장에서 스트리밍 구독까지

OTT 플랫폼의 등장은 콘텐츠 소비 습관을 변화시켰을 뿐만이 아니라, 플랫폼끼리의 경쟁 심화로 다양한 오리지널 콘텐츠들을 만들도록 촉진했습니다. 예전에는 넷플릭스가 독식하던 시장에 다양한 플랫폼들이 도전장을 내밀면서 지속해서 플랫폼 내에 록인(rock-in) 시키려는 여러 전략을 취하게 되는데, 그중에서 '오리지널 콘텐츠'를 지속해서 공급하는 것이 제일 중요한 전략으로 떠올랐습니다.

그러나 OTT 플랫폼 등장 이전부터 IPTV의 급격한 성장이 콘텐츠 소비의 구도를 바꿔놓기 시작했습니다. 기존에는 영화관에서 종영한 영화는 비디오나 DVD로 발매되었고, 영화를 재개봉하지 않는 이상 콘텐츠를 볼 수 있는 방법은 이것을 구매하는 것이었죠. 물론, 대여점에서 빌리는 방법도 있겠지만 기본적으로 그 콘텐츠가 담긴 실물이 있어야 볼 수 있다는 점에서 '소장'의 개념이라고 이해하면 될 것 같습니다.

이후에는 종영된 영화가 IPTV나 인터넷 플랫폼 등에서 VOD로 판매되기 시작했는데요. 여기에서 판매되는 VOD는 영화관에서 종영된 이후 빨리 보려고 할수록 가격이 비쌌습니다. VOD를 구매할 때 보시면 '극장 동시'라는 말이 붙은 콘텐츠가 있는데, 제일 따끈따끈할 때 구매하는 것이기 때문에 가격이 가장 비쌉니다. 그리고 시간이 지날수록 VOD 가격은 하락하게 되어 몇 년이 지나면 최저가인 구작(library)이 됩니다.

이렇게 개별적으로 건당 판매되는 VOD의 형태를 TVOD라고 하는데요, TVOD는 크게 대여와 소장의 개념으로 나누어집니다. 아까 비디오나 DVD의 경우에도 직접 구매하면 소장하는 것이고, 대여점에서 일정 기간 대여할 수도 있는데 그 개념이 VOD에도 적용된다고 보시면 될 것 같습니다. 대여를 선택하면 가격이 싼 대신 일정 기간만 볼 수 있고, 소장의 경우에는 가격이 비싼 대신 그 플랫폼에서 몇 번이고 반복 재생할 수 있습니다. 그러나 이렇게 개별적으로 콘텐츠를 하나하나 구매하는 것은 때로는 부담일 수 있겠죠.

그리고 IPTV 성장 이후에는 OTT 플랫폼이 콘텐츠 시장의 신흥강자로 떠올랐습니다. OTT 플랫폼은 기본적으로 플랫폼 이용객들을 지속해서 붙잡아 놔야 하는데, 이때부터 구독(SVOD) 모델이 급부상하게 되죠. 넷플릭스는 콘텐츠에 '구독'의 개념을 대중화시킨 대표적인 OTT 플랫폼인데요. 다들 잘 아시다시피 원래 넷플릭스는 DVD 대여 사업으로 시작한 플랫폼이었습니다. 넷플릭스 서비스의 특징은 DVD를 건당 대여해 주고 대여 기간을 넘기게 되면 벌금을 물렸던 다른 서비스와는 달리, 일정 금액을 내고 DVD를 무제한 빌릴 수 있게 한 것이었습니다.

물론, 한 번 빌릴 때 특정 개수로 제한하기는 하였으나 그 DVD를 반납하기만 한다면 새로운 DVD를 추가로 빌릴 수 있기 때문에 빨리 보고 반납한 후 새롭게 계속 빌리는 것이 유리하겠죠. 같은 가격을 내고 많이 먹을수록 유리한 뷔페처럼요. 그리고 넷플릭스는 한 번 더 혁신하면서 실물 DVD가 아닌, 그때 마침 개발된 신규 기술인 스트리밍 서비스를 도입하기 시작합니다. DVD를 빌려주고 반납하는 복잡한 절차 없이, 사람들은 일정 금액을 내고 플랫폼 내에서 스트리밍으로 콘텐츠를 자유롭게 볼 수 있는 것이죠. 이는 고객에게도, 직원에게도 매우 혁신적인 서비스였습니다. 사실 직원들도 많은 고객들에게 DVD를 대여해주고 반납을 확인하는 절차를 거치는 게 참 힘들거든요.

콘텐츠를 스트리밍으로 전송하게 되면서, 사람들은 콘텐츠를 더 빨리 소비하게 되었고 이는 OTT 플랫폼이 지속해서 고객에게 구독 비용을 청구하려면 새로운 콘텐츠를 계속 공급해야 함을 의미했습니다. 구독 모델은 지속적인 정기 결제를 유도하기 때문에 안정적인 매출을 확보할 수 있다는 장점이 있으나, 그 서비스에 매력을 느끼지 못하게 되면 가차 없이 떠날 수 있다는 단점도 있습니다. 소비자 입장에서는 한 번 결제로 콘텐츠를 무제한으로 볼 수 있으니, 이보다 더 좋을 순 없겠죠.

물론, 모든 OTT 플랫폼이 그 플랫폼 내의 모든 콘텐츠를 구독 요금제에 포함하지는 않습니다. 특정 플랫폼들은 최신작들은 제외하고 구독 요금제를 책정하기도 하죠. 플랫폼마다 구독 모델을 구성하는 차이는 있을 수도 있겠으나, 최근 대부분 OTT 플랫폼은 오리지널 콘텐츠 공급에 심혈을 기울이고 있습니다. 이는 구독자를 유지하기 위한 전략이라고 할 수 있습니다.

콘텐츠를 소장하는 것이 매우 당연하게 생각되던 시절이 있었지만, 스트리밍 기술이 등장하고 그에 따른 구독 모델이 등장하면서 사람들은 모바일 기기를 통해 언제 어디에서나 즉각적으로 콘텐츠를 볼 수 있게 되었습니다. 이러한 시장 변화는 콘텐츠를 빨리, 많이 소비할 수 있게 하였지만 기존에 콘텐츠를 건당 구매하던 것에서 구독 요금제 안으로 편성되면서 콘텐츠마다 제값을 받는 것인지에 대한 의문도 생겨나고 있다고 합니다. 앞으로 콘텐츠와 플랫폼 시장이 또 어떻게 변할지, 궁금합니다.

콘텐츠, 정정당당하게 보기

콘텐츠 보안에 대하여 : DRM, 워터마크, 지오 블록

콘텐츠의 소비가 소장에서 구독으로 넘어가는 추세에 관해 알아보았습니다. 이번 글에서는 콘텐츠가 디지털로 넘어오면서 더욱 중요하게 된 콘텐츠 보안에 대해 말씀드리고자 하는데요, 기술적 용어라 다소 생소할 수 있겠지만 최대한 쉬운 개념으로 설명하려 합니다.

사실, 비디오와 DVD 시절부터 콘텐츠 보안을 지키려는 시도들이 많았습니다. 그러나 그 시절에는 복제에 대해서 '지키면 좋지만, 남들도 다 안 지키는데 내가 굳이...?' 이런 생각을 하는 사람들도 꽤 많았죠. TV에 나오는 영화나 드라마를 공테이프에 녹화하거나 공 CD에 콘텐츠들을 모아 굽는 경우도 많았습니다. 콘텐츠 저작권에 대한 보호 의식이 커지면서 이러한 복제를 막는 기술들 또한 발전했지만, 이때만 해도 보안 의식이 그다지 높지 않았습니다.

이후 P2P(peer to peer) 방식의 파일 교환 플랫폼들이 생겨나면서(ex 토렌트 등) 소위 말하는 '불따'(불법 다운로드) 콘텐츠 파일들을 주고받기 시작했죠. 이때는 영상 콘텐츠뿐만이 아니라 온갖 종류의 콘텐츠들, 심지어 종이 만화까지 스캔해서 업로드되어 있던 것으로 기억납니다. 그리고 저작권 이슈를 피하고자 제목도 일부 단어만 넣거나 검색이 어렵게 조합하기도 했죠. (ex) 원제목 : 신비한 동물 사전 -> ☆ㅅㅣㄴㅂㅣ 한 animal ㅅㅏㅈㅓㄴ☆) 이때까지만 해도 콘텐츠를 돈 내지 않고 다운받아 보는 방법을 선호하며, 다운받은 파일을 서로 지인에게 공유하는 등, 저작권을 지키려는 의식이 높지 않았습니다.

이 시기를 거쳐, IPTV 시장이 커지면서 VOD 소비도 점차 늘어나게 되었는데요. 이 시기에 IPTV에서는 다양한 방식으로 콘텐츠 복제를 막는 방법들을 강구하기 시작했습니다. 그리고 OTT 플랫폼의 빠른 성장은 특정 플랫폼에서만 '단독'으로 볼 수 있는 오리지널 콘텐츠 제작을 가속했고, 이는 더욱 강력한 콘텐츠 보안 기술을 요구하게 되었습니다.

혹시 DRM이라는 단어를 들어보셨나요? DRM은 Digital Rights Management의 약자로, 디지털 콘텐츠의 무단 사용을 막아, 제공자의 권리와 이익을 보호해 주는 기술과 서비스를 말합니다. DRM은 비단 영상 콘텐츠뿐만이 아니라 요새는 많은 회사에서 도입하고 있는데요, 점점 더 회사 자료의 정보 유출에 대한 심각성이 부각되면서 이를 관리할 수 있는 보안 기술을 도입하게 되었습니다.

예전에는 OTT 플랫폼에서 DRM 영상 다운로드 서비스를 제공하지 않았습니다. 좀 더 정확히 말하자면, 영상에 DRM을 입히지 않고 그냥 내려받기가 가능하게 했었지요. 그러나 이럴 경우에는 콘텐츠를 구매한 사람 외에도 다른 사람에게 파일을 보내는 것이 가능하고 저작권 보호가 되지 않는 단점이 있었습니다. 그러나 DRM을 입힌 영상의 경우에는 파일을 내려받으면 특정 기간에만 볼 수 있게 제한을 걸 수 있습니다. 예를 들어 VOD를 단건으로 구매한다고 가정한다면 '대여'로 구매할 경우에는 해당 기간만 볼 수 있게 하는 겁니다. 해당 기간이 넘어갈 경우에는 파일이 사라지거나 '기간 만료'라고 알람 창이 뜨면서 파일 재생을 막습니다.

그리고 구독 요금제를 사용하는 경우에도 요새는 영상 다운로드 서비스를 하는 곳이 많은데요. 영상을 스트리밍으로 보면 데이터 소모가 크니 와이파이가 있는 환경에서 미리 내려받고 그 영상을 재생할 수 있게 하는 서비스입니다. 이 또한 일정 기간(보통 일주일쯤)이 지나면 기간 만료라는 알람 창이 나오면서 재생을 막습니다.

그렇다면 워터마크(watermark)라는 단어는 들어보셨나요? 워터마크는 직접적으로 콘텐츠의 저작권을 보호하기보다는, 콘텐츠 유출 시에 그게 어느 플랫폼에서, 어느 사용자로부터 유출되었는지를 추적할 수 있게 하는 방법이라고 보시면 될 것 같습니다. 혹시 회사 등에서 서류를 프린트할 때, 대각선으로 희미하게 로고나 아이디, 이름, 시간 등이 인쇄되는 경우 보셨나요? 이게 일종의 워터마크인데요. 문서에 워터마크를 찍는 것은 그 문서가 유출되었을 때 유출한 경로를 파악하는 데에 도움이 됩니다.

영상에도 알고 보면 워터마크가 심어져 있는 경우가 많은데요. 영상은 촘촘한 프레임으로 구성되어 있기 때문에 그 프레임 사이에 해당 영상을 시청하는 사용자, 플랫폼, 시간 등의 정보를 담습니다. 빠르게 지나가는 영상 사이에 심는 것이라서 보통 시청할 때는 의식하기 어렵습니다. 그리고 특정 영상이 유출되면 그 영상에 찍힌 워터마크 정보를 통해 저작권자 또는 저작권을 보유한 회사는 해당 플랫폼에 연락해서 조치하게 됩니다. 보통 VOD로 넘어온 지 얼마 안 되는 최신작, 그리고 주로 해외 대형 배급사들의 영화의 경우 서비스하는 플랫폼에서 워터마크를 필수로 적용하기를 요구합니다. 한국 영화의 경우 비용 문제로 워터마크를 안 하는 경우도 있지만, 앞으로 저작권 이슈가 더욱 부각되며 사전에 다양한 조치를 해야 한다는 당위성이 높아지고 있습니다.

추가로, 지오 블록(Geo-block)이라는 개념도 콘텐츠 보안과 관련이 있는데 이는 특정 국가나 지역에 콘텐츠 권리를 판매하면 다른 국가나 지역에서 불법적으로 보는 것을 막기 위한 조치입니다. 유튜브, 그리고 다양한 글로벌 OTT 플랫폼에서도 콘텐츠 권리를 보호하기 위해 지오 블록 조치를 하고 있습니다. 지오 블록을 걸게 되면 그 콘텐츠가 판매된 국가에서만 볼 수 있게 되어 불법적인 시청이나 콘텐츠 유출을 방지하는

데, 가끔은 이러한 지오 블록 조치를 무시하고 VPN을 우회하여 콘텐츠를 불법으로 보거나 추출하는 경우도 있다고 합니다. 이러한 행위는 모두 불법적인 행위이고, 콘텐츠 권리자에게 돌아갈 정당한 이익을 막는 것이니 반드시 지양해야 합니다.

코로나19 이후로 온라인으로 영상 콘텐츠를 더욱 많이 소비하게 되면서, 이러한 저작권 문제가 더욱 부각되기 시작했습니다. 앞으로도 계속 좋은 콘텐츠를 많이 보고 싶다면, 좋은 콘텐츠를 만드는 사람에게 정당하게 요금을 지불하고 그 권리를 보호해야 하지 않을까요?

콘텐츠 회사의 지향점

콘텐츠 회사가 갖춰야 할 역량과 전략

최근 OTT 플랫폼이 급속도로 성장하면서 양적인 면과 질적인 면을 모두 갖춘 콘텐츠 회사의 가치가 급상승하고 있습니다. 콘텐츠 산업은 다른 산업과 당연히 유사한 면도 있지만 특징적인 부분이 많기에 콘텐츠 회사가 갖춰야 할 역량, 그리고 최근 산업 변화에 따른 전략에 대해 고찰해 보았습니다.

콘텐츠 회사의 목표는 '돈 주고 봐야 하는, 즉 유료화할 수 있는 콘텐츠를 만드는 회사'가 되는 것입니다. 이건 비단 영화, 드라마뿐만이 아니라 최근 주목받고 있는 숏폼, 미드폼 콘텐츠에도 적용되며 더 나아가 예능 콘텐츠에도 적용되는 것입니다. 여기에서 말하는 돈 주고 봐야 하는 콘텐츠란, 고객에게 콘텐츠에 대한 과금을 직접 해서 많은 매출을 일으키거나 (B2C : 영화관 티켓 판매, OTT 등에서의 단건 판매 등) 플랫폼에서 돈을 주고서라도 확보해야 하는 좋은 콘텐츠를 만든다는 의미입니다. (B2B : 넷플릭스 등에서 특정 콘텐츠 회사의 판권을 확보할 경우. 물론 소비자는 넷플릭스에 구독료를 내지만 특정 콘텐츠에 대해 돈을 주고 직접 구매한다고 보기 어렵습니다.)

콘텐츠 회사가 갖춰야 할 핵심 역량은 IP 확보와 안정적인 라이브러리 관리 역량입니다. IP는 다양한 콘텐츠의 원천이 되어 좋은 콘텐츠를 제작할 수 있는 역량과 직결되며 라이브러리는 지속적이고 안정적인 콘텐츠 매출을 창출하여 새로운 콘텐츠에 대한 투자를 가능하게 합니다. 콘텐츠 회사의 지속가능성이 있으려면 좋은 IP와 라이브러리를 보유하는 방향으로 나아가야 합니다. 콘텐츠 회사는 충분한 IP와 라이브러리가 확보되면 때로는 플랫폼을 직접 보유하는 것에 대한 필요성이 생깁니다.

플랫폼을 직접 보유하여 수직 계열화할지, 콘텐츠 제작 역량에 집중할지는 그 회사의 전략에 따라 달라질 수 있습니다. 플랫폼에 먼저 진출하여 콘텐츠로 확장한 경우가 있는가 하면(예시 : 넷플릭스) 콘텐츠에서 시작해서 추후 플랫폼을 확보하는 경우도 있습니다.(예시 : 디즈니) 플랫폼으로 시작하려면 플랫폼이 이용자를 모을 때까지 충분한 시간과 비용이 필요하고 콘텐츠로 시작하려면 콘텐츠에 대한 투자전략과 제작비용이 필요합니다. 물론 두 가지 방향이 모두 가능하지만 먼저 킬러 콘텐츠를 다수 보유하게 되면 플랫폼에 대한 협상력이 향상되고 또는 플랫폼에 직접 진출할 명분이 생기기에 콘텐츠를 확보하고 플랫폼으로 진출하는 케이스가 좀 더 많은 편입니다.

최근 콘텐츠 업계에서의 제일 큰 화두는 OTT 플랫폼을 바라보는 시각에 대한 것입니다. 처음 OTT 플랫폼이 도입될 때만 해도 1차 플랫폼을 거친 후 2차 시장으로 불리는 부가 판권 시장에서만 제한적인 영향을 미칠 것으로 보았습니다. 하지만 넷플릭스가 OTT의 구독 모델로 시장을 뒤흔들기 시작하면서 이제는 1차 플랫폼(TV, 영화관 등)을 건너뛰고 바로 OTT로 직행하는 경우도 늘어나고 있습니다. 이러한 사례는 코로나19 이후 오프라인 집객 시설의 대표 격인 영화관 플랫폼의 영향력이 축소되면서 가속하기 시작했습니다. 코로나19가 유행하던 시기에 여러 작품(<사냥의 시간>, <승리호>, <낙원의 밤>, <야차> 등)이 극장 개봉을 포기하고 넷플릭스에서만 볼 수 있는 오리지널 콘텐츠가 되었으며 <서복>의 경우에는 극장 개봉과 티빙 동시 공개라는 전무후무한 모델을 만들어 내었습니다. 물론 코로나19 이후 영화관의 수요가 회복될 여지가 있으나 한 번 변화된 시장은 다시 예전으로 완전히 돌아간다고 보기 어렵습니다.

이러한 사례들로 볼 때 OTT 플랫폼은 콘텐츠 사업자들에게는 안정적인 매출을 확보하는 기회이기도 하지만 때로는 업 포텐셜을 포기한 채 최소 매출만을 가져가야 해서 시장 성장을 저해하는 방해꾼이 되기도 합니다. 그러나 이제는 OTT 플랫폼을 빼놓고 콘텐츠 사업을 논하기 어려울 만큼 그 매출과 영향력은 무시하기 어려우므로 콘텐츠 사업자는 그들을 새로운 파트너로서 존중하고 협업하되 어떤 방식으로 접근해야 할지 신중하게 고민할 필요가 있습니다. 앞서 설명했듯 예전에는 콘텐츠 유통에 있어 1차 시장 - 2차 시장을 구분하여 콘텐츠 매출을 계산했는데 이제는 콘텐츠 각각의 잠재력과 타깃, 확장성을 고려하여 콘텐츠 매출을 최대한으로 끌어올리려는 전략을 세울 필요가 있습니다. 즉, 콘텐츠마다 유통 전략을 각기 달리 세워야 한다는 의미입니다.

볼거리가 풍부하고 제작비가 많이 소요되는 콘텐츠는 기존 유통 방식처럼 1차에서 B2C로 티켓이나 광고 매출을 최대한 끌어올리고 그 흥행 성적을 바탕으로 2차 플랫폼에서 추가 매출을 일으키는 것이 바람직할 수 있습니다. 그리고 어떤 콘텐츠는 스토리가 매우 기발하고 재미있지만, 캐스팅이 다소 약하거나 대중성이 약해서 제작비가 적게 책정될 경우에는 차라리 처음부터 OTT 플랫폼 공개를 목적으로 해서 콘텐츠 기획에 반영할 수 있습니다. 또한 특정 콘텐츠는 제작비를 최소화하여 콘텐츠 자체는 무료로 공개하고(물론 유통 과정에서 광고를 붙여 추가 수익을 낼 수도 있다.) 높은 조회수를 확보한 후 해당 IP나 IP를 활용한 캐릭터 상품=을 판매하는 방식도 생각해 볼 수 있습니다. 이제는 기존에 1차~2차 공식만이 콘텐츠 매출을 담보하는 것이 아니라 그 콘텐츠에 맞는 여러 가지 조합으로 새로운 비즈니스 모델을 지속해서 검증해 볼 필요가 있습니다.

OTT 플랫폼의 성장과 전통 플랫폼의 변화, 콘텐츠 유통의 글로벌화, 그리고 새롭게 부상하는 디지털 광고 시장은 콘텐츠 산업을 지향하는 회사에 있어 분명히 새로운 기회이자 위기일 것입니다. 시장의 흐름을 읽고, 빠르게 그 니즈를 파악해서 새로운 시도를 하는 기업들만이 이러한 폭풍우 속에서 살아남아 지속적인 성장을 할 수 있을 것입니다.

#5. 콘텐츠 산업 더 알아보기 : 트렌드 편

한국인의 빨리빨리,
기본이 1.5배속?

콘텐츠 소비 트렌드 : 1.5배속 주행에 대하여

요새 볼 만한 콘텐츠가 정말 많습니다. 이제는 넷플릭스 말고도 디즈니+, 티빙, 웨이브, 쿠팡플레이, 왓챠 등 국내외 플랫폼들이 적극적으로 오리지널 콘텐츠들을 선보이기 시작하면서 챙겨봐야 할 콘텐츠들이 수두룩합니다. 시간은 없고, 다른 사람들과 대화에 끼려니 콘텐츠들은 봐야겠고…. 게다가 OTT 플랫폼 콘텐츠 말고도 유튜브에 재밌는 영상들이 얼마나 넘쳐나는지…. 정신을 못 차릴 지경입니다.

그래서, 대부분 많은 사람이 재생속도를 빠르게 조절해서 콘텐츠를 본다고 합니다. 보통 기본으로 1.25배속으로 설정하고 때로는 시간이 없거나 이야기 전개가 느린 콘텐츠는 기본을 1.5배속으로 해서 봐도 콘텐츠를 이해하는 데에는 문제가 없다고 하네요. 그 이상으로 속도를 빠르게 하면 테이프 빨리 감기 하듯이 소리가 이상해져서 1.25~1.5배속 정도에서 적정선을 찾는 것 같습니다. 때로는, 중요한 곳만 띄엄띄엄 건너뛰면서 보기도 한다고 해요. 이 모든 기능은 대부분의 OTT 플랫폼, 그리고 유튜브에서 제공하고 있습니다.

그렇다면 이쯤에서 생각해 볼 문제가 있습니다. 이러한 새로운 콘텐츠 소비 습관은 어떤 이유에서 생겨난 것인지, 그리고 이러한 소비패턴이 과연 좋은 것인지에 대한 의견들이 있을 수 있습니다. 이 부분에 대해 좀 더 살펴보도록 하겠습니다.

왜 이러한 소비 패턴이 생겨난 것일까요? 앞서 언급했듯이 볼만한 콘텐츠들은 늘어나는데 시간은 한정적입니다. 그렇기에 같은 시간 내에 최대한 많은 콘텐츠를 볼 수 있는 이러한 콘텐츠 시청 습관이 생겨난 것 아닐까요. 게다가 '빈지 워치'(Binge Watch)는 콘텐츠 시리즈를 한꺼번에 공개하는 넷플릭스의 전략하에서 생겨난 개념으로, 그렇게 공개된 콘텐츠를 한 번에 몰아보는 시청 패턴이 정착되면서 재생속도를 빠르게 조절하고자 하는 욕구가 발생하게 되는 것이죠.

그리고 요새 콘텐츠에는 오프닝을 넘기는(skip) 버튼이 있고 시리즈 한 편이 끝나면 자동으로 그다음 편으로 넘어가게 되는 기능이 붙어 있습니다. 반복되는 오프닝과 엔딩은 생략하고 바로 그다음 편을 볼 수 있게 해서 그 콘텐츠를 끊고 나갈 수 없게 붙잡아두는 것이죠. 분명히 이런 기능은 소비자들의 요청하에 만들어졌을 것입니다. 제 기억이 맞는다면, 초기 넷플릭스가 한국에 서비스를 시작할 때는 재생속도를 조절하는 기능이 없었거든요. 콘텐츠를 미리 기기에 다운받아 둘 수 있는 기능도 없었고요. 콘텐츠 소비자들에게 편의성을 제공하고자 이러한 다양한 기능을 점차 추가해 나갔을 것입니다.

그렇다면, 과연 이 기능에는 순기능만 있을까요? 콘텐츠를 소비하는 사람의 입장에서 평가한다면 콘텐츠를 앞으로 보거나 뒤로 보거나(?),

빨리 보거나 느리게 보거나, 중간에 끊어 보거나 한꺼번에 몰아 보거나, OTT 플랫폼이 이렇게 다양한 소비 패턴을 지원할 수 있도록 다양한 기능을 제공하는 것이 좋습니다. 물론 이는 전적으로 동의하는 바입니다. OTT 플랫폼을 이용할 때 여러 콘텐츠를 보유하고 있는지가 매우 중요하지만, 플랫폼의 UX/UI 및 다양한 기능이 얼마나 콘텐츠를 매끄럽게 볼 수 있도록 지원하는지도 굉장히 중요하거든요.

그러나 이를 콘텐츠 제작자의 입장에서 바라본다면, 사실 콘텐츠의 전체적인 구성이나 호흡, 속도 등은 해당 콘텐츠의 제작 의도가 반영된 것이기에 가능한 그 의도대로 콘텐츠를 감상하는 것이 가장 최적이라고 생각할 것입니다. 우리에게는 쉽게 소비하는 콘텐츠 한 편이지만, 제작자 입장에서는 그 한편을 만들기 위해 이렇게도 구성해 보고, 저렇게도 구성해 보고, 많은 고민과 시도 끝에 나온 결과물이기 때문이죠. 많이들 건너뛰는 오프닝도 사실은 그 콘텐츠의 일부이고 오프닝 구성 또한 대강 만들어지는 것이 아니지요. 그리고 보통 시리즈를 볼 때 자동으로 넘어가게 되는 엔딩에도 그 콘텐츠 제작에 참여했던 많은 사람의 이름이 올라가기 때문에 의미 있는 구간입니다.

그리고 정지 화면을 길게 잡는다든지, 대화 중간에 침묵이 들어간다든지, 대화 속도가 갑자기 느려진다든지 하는 등의 모든 연출에는 제작자의 의도가 담겨있습니다. 감정선을 고조시킬 필요가 있다거나, 장면 속 숨겨진 의미가 있다거나 그 의도는 굉장히 다양할 수 있습니다. 그러나 만약 모든 콘텐츠를 빨리 감기 하거나 중간을 건너뛰거나 오프닝/엔딩 등을 그냥 넘겨버린다면, 이러한 의도들이 잘 전달되진 않겠죠.

이와 비교해서 영화관에서 콘텐츠를 감상할 때를 떠올려 본다면, 영화가 상영되는 2시간 남짓 사람들은 콘텐츠에 집중합니다. 빨리 감기, 장면 넘기기, 오프닝/엔딩 넘기기는 이루어지지 않죠. 영화관에서 감상한다는 것은 의도적으로 내가 그 시간 동안 콘텐츠를 오롯이 감상하러 가겠다, 라는 의지를 가질 때입니다. OTT 플랫폼에서도 콘텐츠를 이렇게 소비하는 사람들도 있겠지만, 이렇게 각 잡고(?) 콘텐츠를 집중해서 보기가 쉽지 않을 겁니다. 언제 어디서든, 내가 원하는 방식으로 콘텐츠를 볼 수 있다는 점이 OTT 플랫폼의 장점이라면, 웬만한 의지 없이 콘텐츠 자체에 집중하여 온전히 감상하기 힘들다는 것이 단점이겠죠.

코로나19의 확산으로 OTT 플랫폼의 성장세가 더욱 급격해졌고, 이러한 폭발적 성장은 양질의 콘텐츠가 쏟아져나오게 하는 환경을 마련했고 편리한 콘텐츠 감상을 원하는 사람들의 콘텐츠 소비패턴을 바꾸어 놓았습니다. 그러나 가끔은, 콘텐츠 자체에 집중하여 감상해 보는 것은 어떨까요? 시리즈의 한 편만이라도 오프닝과 엔딩을 넘기지 않고, 이게 콘텐츠의 일부로 어떤 고민을 통해 구성되었는지 생각해 보는 것을 추천해 봅니다. 빨리 감기를 하거나 장면을 넘기면서 보는 것보다 더욱 기억에 남고, 의미 있는 콘텐츠 감상 시간이 될 것으로 생각합니다.

한국인의 빨리빨리, 요약 주행이 대세?

콘텐츠 소비 트렌드 : 원하는 부분만, 빨리 요약해서 본다

얼마 전에 콘텐츠 속도를 빠르게 조정해서 보는 트렌드에 대해 언급했었습니다. 그렇다면, 혹시 '요약 주행'이라는 말은 들어보셨나요? 이번에는 콘텐츠 소비 흐름 중 '요약 주행'에 대해 살펴보도록 하겠습니다.

요새 유튜브에서 인기 콘텐츠에 대해 "OOO 요약" "XXX 요약본"이라고 검색하면 영상들이 수두룩하게 검색됩니다. 혹시 '고몽'이나 '김시선'이라는 유튜버를 아시나요? 요새 콘텐츠 마케팅을 하시는 분들께는 아주 유명한 유튜버들인데요. 이분의 강점은 콘텐츠를 보고 리뷰 영상을 만드는데, 그렇게 요약된 콘텐츠가 기가 막히게 재미있다고 합니다. 재미있는 부분만 쏙쏙 골라서 요약한 콘텐츠들을 많이 본다면, 정작 콘텐츠 본편은 누가 보냐는 불평이 있을 수 있습니다. 그러나, 이분들이 요약한 리뷰 콘텐츠를 보고 그 콘텐츠에 관심을 가져서 본편으로 유입되는 케이스도 많다고 해요. 오히려 이렇게 요약된 콘텐츠가 본편에 대한 인지도와 선호도를 올려 콘텐츠 소비의 마중물 역할을 하는 것이죠.

그렇다면, 왜 '요약 주행'을 하는 것일까요? 그 이유에 대해 크게 세 가지 관점에서 생각해 보았습니다.

첫 번째, 같은 시간 내에 많은 콘텐츠를 빨리 볼 수 있습니다. 콘텐츠의 홍수 속에서 트렌드를 놓치지 않으려면 인기 있는 콘텐츠를 챙겨봐야 하는데, 나만 소외될 순 없죠. 우선 그 콘텐츠의 주요한 내용만이라도 알아두면 그 콘텐츠가 화제에 오를 경우 이야기할 거리가 많아집니다. 요새 요약본 콘텐츠는 그 자체로도 완성도가 있고 재미가 있어서 쉽게 볼 수 있는 것도 하나의 요인이 될 것입니다.

두 번째, 요약 주행을 통해 다시 콘텐츠의 내용을 재확인하며 효율적인 감상이 가능합니다. 콘텐츠를 재미있게 보고 난 후, 내가 제대로 이해하고 감상했는지 궁금할 때 콘텐츠를 다시 정주행할 수도 있겠지만 요약본을 보면서 콘텐츠 내용을 다시 떠올리고 다른 사람의 시선으로 콘텐츠를 보는 효과도 얻을 수 있죠. 그리고 내가 미처 놓친 부분이나 몰랐던 정보를 전해줄 때 그 콘텐츠를 더욱 재미있게 봤다고 평가할 수 있을 겁니다.

세 번째, 콘텐츠 홍수의 시대에 취향에 맞는 콘텐츠를 고를 수 있습니다. 콘텐츠가 너무 많아서 모든 콘텐츠를 보기는 어렵고, 취향에 맞는 콘텐츠를 골라서 보고 싶을 때 요약 주행은 도움이 될 수 있습니다. 요약본을 보니 완전히 내 취향이라 더 보고 싶다면 본편 시청으로 넘어가게 되고, 요약본을 봤는데 내가 좋아할 만한 게 아니다 싶으면 요약본으로 끝내는 것입니다. 이 또한 같은 시간 내에 효율적인 콘텐츠 감상을 가능하게 할 수 있겠죠.

요약하면, '요약 주행'은 콘텐츠가 넘쳐나는 시대에 콘텐츠를 더 효율적으로 잘 감상하려는 니즈에 의해 유행하고 있는 것 같습니다. 요약본을 통해 본편을 감상하든, 본편을 먼저 보고 요약본을 보든 그 순서는 다르지만 결국은 재미있는 콘텐츠를 더 재미있게 보기 위함이 아닐까요?

Just 1 minute, 쇼츠 드라마

앞서 콘텐츠 RT에 따라 숏폼, 미드폼, 롱폼으로 구분하는 것에 대해 언급했고 점차 콘텐츠들이 짧아지는 추세에 있음을 설명해 드렸습니다. 최근에는 기존 숏폼으로 분류되던 RT(5분~15분)보다 더 짧은 형태의 콘텐츠들이 유행하고 있는데요. 틱톡을 선두로 유튜브에서는 쇼츠(shorts), 인스타그램과 페이스북에서는 릴스(reels), 네이버에서는 클립(clip) 등의 서비스를 선보이고 있습니다.

짧은 영상은 일반인 크리에이터들도 쉽게 만들고 올릴 수 있어 콘텐츠의 급격한 양적 증가에도 영향을 주었고, 춤이나 특정 장면을 패러디하는 등 밈(meme)을 생산하고 소비하는 트렌드를 만들기도 했죠. 게다가 짧은 동영상은 가볍게 소비하기에도 편하고, 빠르게 확산하는 특성을 갖는데요. 이제는 이러한 특성을 활용해서 아주 짧은 영상 안에 스토리를 담는 '쇼츠 드라마'도 탄생했다고 하네요.

유튜브의 '숏박스'나 '너덜트', '짧은 대본', '픽고' 등의 채널에서는 일상에서 누구나 공감할 만한 내용으로 쇼츠 드라마를 제작하고 있습니다. 이러한 채널들에서는 평균 5~10분, 때로는 3~5분 정도의 짧은 드라마를 선보이는데요. 그 짧은 시간 안에도 확실한 재미와 기승전결이 녹아있어 MZ세대를 중심으로 많은 콘텐츠 소비가 일어나고 있습니다.

편의점 업계 1위인 CU에서도 일명 '편의점 시리즈'로 불리는 쇼츠 드라마를 선보였는데요. 기존 유통업계에서 많이 제작하는 포맷인 제품 브랜드 노출 위주의 콘텐츠가 아닌 편의점에 근무하는 아르바이트생, 점장, 단골 등을 주인공으로 내세워 편의점 내 다양한 에피소드를 보여주는 1분짜리 드라마입니다. <편의점 고인물>은 22년 대한민국 광고대상 온라인 영상 부문에서 대상을 수상하기도 했으며, 후속작 <편의점 뚝딱이>와 함께 23년에는 유튜브 웍스 어워즈 그랑프리를 수상하기도 하는 등 높은 인기와 파급력을 보여주기도 했습니다. 현재 <편의점 베짱이>까지 공개되면서 브랜디드 콘텐츠임에도 불구하고 시즌3까지 제작되는 성과를 거두었죠.

10분, 5분, 3분에서 이제는 1분짜리 드라마까지 등장했는데요, 이 짧은 상영시간 안에 누구나 한 번쯤은 겪어봤을 공감 포인트를 잘 짚어내고 있어 호응을 얻고 있다고 합니다. 항상 새로운 자극을 추구하는 MZ세대에게 딱 맞는 쇼츠 드라마의 인기는 당분간 지속될 것으로 보이네요. 앞으로 또 어떤 참신한 드라마 형식이 나올지 기대가 됩니다.

한국어에도 자막이 필요하다?

OTT가 콘텐츠를 소비하는 주 플랫폼으로 떠오르면서 사람들의 콘텐츠 시청 행태에도 많은 변화가 생겼습니다. 일전에 빠른 배속재생과 요약 주행에 대해 글을 작성한 적이 있었는데요. 이번에는 콘텐츠 자막에 관해 이야기해 보고자 합니다.

자막서비스 자체가 낯선 것은 아닙니다. 해외 영화와 드라마를 볼 때는 자막이 필요하죠. 영화관에서는 보통 외화를 수입할 때 번인(burn in, 자막을 화면에 완전히 입히는 형태)으로 자막을 붙이곤 했었습니다. 해외 드라마의 경우에도 번인으로 자막을 입히거나, 자막파일을 따로 만들어 영상과 같이 재생하며 시청을 할 수 있었습니다. 그러나 OTT 플랫폼이 급성장하면서 국내 콘텐츠뿐만이 아니라 다양한 국가의 해외 콘텐츠들의 접근성이 좋아졌고 이에 다양한 언어로 자막이 제공되는 것을 당연시하게 되었습니다.

한국어 자막은 청각장애인의 콘텐츠 접근성을 위해 시작한 서비스였기에 일반적인 사람들은 한국어 자막의 필요성을 크게 느끼지 못했었습니다. 그러나 앞서 언급한 빠른 배속재생의 시청행태가 자리 잡으면서, 빠르게 재생되는 장면의 이해도를 높이기 위해 한국어 자막을 켜고 보는 사람들이 증가한 것 같습니다. 재생속도가 빨라지면 그만큼 말 속도도 빨라지기에 알아듣기 쉽지 않거나 놓치는 말들도 생기거든요. 그리고 자막을 켜면 가끔 대화나 말로 표현하기 어려운 장면에 대해 추가적인 설명을 덧붙이는 지문 표기가 곁들여질 때가 있습니다. (ex. (쾅 소리가 나면서) "지금 무슨 얘기에요?", (슬픈 음악이 흐르며) "당신을 정말 사랑했어") 이때 자막을 켜는 것은 콘텐츠에 대한 이해도를 높이기 위한 하나의 방안이 됩니다.

최근에는 OTT뿐만이 아니라 공중파에서도 한글 자막 서비스를 도입했다고 합니다. 아직 모든 드라마에 적용되는 것은 아니지만, 일부 드라마의 재방송 등에 대사, 지문 등을 표기한 한국어 자막을 띄워서 시청자들에게 좋은 반응을 얻었다고 하죠. OTT로 자막 보기에 익숙해진 시청자들에게는 거슬린다는 의견보다는 드라마의 이해도가 높아졌다는 호평이 있었다고 합니다. 현재는 시범 적용 중이지만 시청자들의 호응 정도에 따라 서비스의 유지 여부가 결정될 것 같습니다.

최근에는 한국 영화에도 자막 서비스를 제공하기 시작했습니다. 한국 영화에 자막이 붙는 경우에는 특정 장면이나 등장인물이 외국어를 할 때 정도였는데, <한산:용의 출현>과 <노량:죽음의 바다>에서는 한국말 대사 또한 자막으로 표기해 주었죠. 보통 액션이 크게 들어가는 장면이나 웅장하고 큰 배경음악이 깔리는 경우 아무리 후시 보정을 해도 대사가 잘 안 들리는 경우가 있다는 점에 착안하여 자막을 제공한 것 같았습니다. 이 또한 콘텐츠 접근권을 넓혔다는 점에서 호응을 얻었죠.

OTT가 등장하며 다양한 변화들이 일어나고 있습니다. 그 변화들에는 장단점 또한 분명히 존재하겠지만, 결국 어떤 서비스가 유지되는 것은 그걸 원하는 소비자의 니즈가 있기 때문이라는 것을 기억하면 좋겠습니다.

OTT도 나눠서 쓴다?

여러 OTT 플랫폼에서 재미있는 콘텐츠가 속속 공개되면서 이제 넷플릭스만 보는 게 아니라 티빙, 웨이브, 왓챠, 쿠팡플레이, 디즈니플러스 등 여러 플랫폼에 가입하는 사람들도 늘어나고 있는데요. 이렇게 되면서 OTT 구독료도 만만치 않은 부담으로 다가왔습니다.

최근에는 티빙팟, 넷플릭스팟 등 플랫폼 이름에 '-팟'을 붙여서 여러 명이 구독료를 쪼개어 내기도 합니다. 플랫폼 요금별로 최대 동시접속자 수 인원만큼 'O인팟'으로 사람을 모으는 경우도 있죠. 이러한 분위기 속에서, 페이센스라는 OTT 1일 구독 서비스가 나온 적이 있었죠. 페이센스는 OTT 플랫폼별로 1일 이용권을 쪼개서 판매하는 서비스였습니다. 이와 관련하여 플랫폼 회사들은 페이센스의 사업이 부당하다고 이의를 제기하여 서비스는 중단되었습니다. 그 내면을 좀 더 살펴볼까요?

OTT 플랫폼에서는 월 단위로 구독 서비스를 이용할 수 있습니다. 페이센스는 플랫폼마다 계정을 만들고, 이를 1일 단위로 소비자들에게 쪼개어 재판매했습니다. 그러나 OTT 플랫폼의 이용 약관을 보면 제삼자에게 계정을 양도, 증여, 담보를 제공하여 이를 수익화하는 것에 대해 금지하고 있는데요. 이에 대해 어떤 기사에서는 뷔페식당에 비유하면서 사실상 페이센스의 재판매 행위가 구독 서비스의 수익 구조를 근간부터 뒤흔드는 행위라고 보았습니다. 일정 금액을 내고 무제한으로 이용할 수 있는 뷔페식당에서, 어떤 사람이 음식을 포장 용기에 담아 재판매하는 것이라고 비유한 것입니다.

OTT 플랫폼의 수익성이 악화하면 수익을 제공받는 콘텐츠 제공사까지도 그 피해가 갈 것이며, 사실상 식당이 문을 닫으면(OTT 플랫폼이 서비스를 중지하게 되면) 페이센스 서비스 또한 존재하지 못할 것입니다. 또한, OTT 플랫폼의 구독료는 단순히 콘텐츠에 대한 비용만 포함된 것이 아닙니다. 콘텐츠 소싱비용 외에도 플랫폼을 운영하는 비용이 상당한데요. 예를 들면 많은 콘텐츠를 저장하고 스트리밍하기 위해 드는 비용, 콘텐츠 보안을 위해 개발하고 적용해야 할 시스템에 대한 비용, 소비자들에게 어떤 콘텐츠가 나오는지를 알리는 마케팅 비용 등 여러 분야에 걸쳐 큰 비용을 투자하고 있습니다. 생각보다 OTT 플랫폼의 수익성은 높은 편이 아닙니다. 버는 만큼, 때로는 버는 것 이상으로 콘텐츠 소싱과 시스템 개선에 비용을 투자하고 있기 때문이죠. 비용 산정 시에는, 드러나 있지 않은 이런 부분까지 생각해 봐야 합니다.

OTT 산업이 활성화되고 좋은 콘텐츠들이 많이 제작되면서 한국 콘텐츠의 위상도 한 층 올라갔습니다. 산업이 지속해서 유지되려면, 투명하고 공정한 수익 배분과 정당한 수익 모델이 정착화되어야 하지 않을까요?

#6. 콘텐츠 산업 더 알아보기 : 콘텐츠 기획 편

대중문화 콘텐츠로 들어온 LGBT

최근 OTT 오리지널 콘텐츠 중에 BL, GL 작품들이 늘어나고 있습니다. BL은 남자 간의 사랑을 다룬 콘텐츠 장르를 뜻하며 GL은 여자 간의 사랑을 다룬 콘텐츠 장르를 의미하죠. 예전에는 일부 마니아층에서만 알음알음 알려지던 장르인데 최근에는 대중적으로 인기를 끄는 작품도 나오면서 소비자층이 확대되었습니다.

그중 하나가 왓챠 오리지널로 공개했던 <시맨틱 에러>라는 작품이었는데 동명의 소설을 원작으로 한 드라마로, BL 소재를 다루고 있습니다. 연기한 두 주연 배우 모두 주목을 받으며 큰 인기를 얻었죠. 티빙에서 공개했던 <뉴노멀진> 드라마에서는, 주인공의 직장 동료 중 한 명이 게이로 등장합니다. 예전 같았으면 드라마 속에서 자신의 성정체성을 숨기느라 고군분투하고 때로는 그 정체성이 발각되면 심각한 갈등 상황에 빠지는 것처럼 그려졌을 텐데요, 이 드라마에서는 직장 동료들이 그 사람을 굉장히 자연스럽게 받아들여 줍니다. 또한, 드라마 내에서는 폴리아모리(여러 사람을 동시에 사랑하는 것)와 폴 댄스를 취미로 삼는 남성 등 최근 변화된 사회상을 반영한 다양한 캐릭터가 등장했습니다.

이러한 트렌드는 연애 리얼리티 프로그램까지 이어지고 있습니다. 웨이브에서는 <메리 퀴어>, <남의 연애> 등의 프로그램을 통해 동성 커플들의 삶을 다뤄 눈길을 끌었습니다. 예전 같았으면 커밍아웃 자체를 어려워했을 커플들이 나와 진솔한 모습을 보여주어 큰 인기를 끌고 있습니다. 남녀 간의 사랑을 넘어서 다양한 사랑의 모습을 보여준다는 점에서 신선하기도 하고, 독특하기도 하다는 평입니다.

사실 웹소설이나 웹툰 등에서는 BL과 GL 장르가 상당히 인기가 있다고 합니다. 장르 카테고리에도 BL이 따로 있을 정도입니다. 특히 웹툰과 웹소설은 콘텐츠 소비를 주로 모바일로 하다 보니, 타인의 시선을 덜 의식할 수 있어 이러한 콘텐츠들의 소비가 적극 이루어지고 있죠. 2012년 연재한 <모두에게 완자가>라는 웹툰, 또 2014년 연재한 <이게뭐야>라는 웹툰은 둘 다 작가 본인의 경험을 녹여 동성애 커플을 소재로 다루고 있는데요. 예전부터 이렇게 조금씩 변해온 인식이 최근 들어서는 좀 더 포용적으로 바뀌고 있는 것 같습니다.

물론, 성소수자 소재를 단순히 자극적으로, 과장하여 풀어내는 것에는 우려되는 부분 또한 분명히 있습니다. 하지만 이러한 소재가 대중문화로 자연스럽게 녹아들고, 다뤄진다면 오히려 불필요한 오해와 편견을 없앨 수 있는 긍정적인 효과도 있지 않을까요?

해피엔딩 콘텐츠가 흥행하는 이유

업계에서 오래 일하면서 많은 영화를 보며 느낀 점은, 영화의 흥행과 평단의 평가는 항상 비례하지 않는다는 사실입니다. 흥행에도 성공하고 평가도 좋은 영화가 있는 한편, 흥행은 하지만 평가가 나쁜 영화도 있습니다. 또한 우울한 결말로 끝난 영화가 좋은 성적을 거두는 일도 있지만, 신드롬을 일으킬 만큼 엄청난 인기를 구가한 영화들의 대부분은 해피엔딩으로 끝나는 경우가 많은 것 같습니다.

이러한 현상은 우리가 영화를, 드라마를, 콘텐츠를 보는 이유와 무관하지 않습니다. 영화는 대부분 현실과 밀접한 이야기를 다루고, 그러한 이야기 속에서 사람들은 공감대를 형성합니다. 우리와 일견 비슷해 보이는 주인공들의 삶을 보며 울고, 웃고, 공감하며 재미를 느끼지만 사실, 영화는 현실과 절대 같지 않다는 것을 누구보다도 잘 알고 있습니다. 인기 있는 영화들의 결말은 해피엔딩이지만 현실은 때로는 잔인할 정도로 냉혹하고, 슬픈 끝을 맺는 경우가 참 많습니다.

최근 사회면을 장식하는 많은 사건을 보며 사회가 왜 이렇게까지 서로를 믿지 못하게 되었을까, 무서우면서도 슬퍼진다. 이럴 때 보면 정말 현실이 영화보다 더 잔혹하고 무섭습니다. 사실 '영화 같은'이라는 말 자체가 현실에는 있기 힘든 일이라는 것을 의미하는 것 아닐까요?

그런데도 우리는 영화의 해피엔딩을 보며 카타르시스를 느낍니다. 한창 울고, 한창 웃다 보면, 어쩌면 지금보다는 더 나은 현실이 되지 않을까? 하는 묘한 기대가 생깁니다. 영화, 또는 콘텐츠를 보며 마음껏 웃고 울 수 있으려면 현실이 그보다는 낫다는 생각을 가져야 하는 것 같습니다. 영화에서만이라도 행복한 결말을 보고 싶다는, 그때만이라도 슬프거나 힘든 현실을 잠시나마 잊고 싶다는 사람이 많을수록 해피엔딩은 흥행의 보증수표가 되는 것일지도 모릅니다.

이제는 하나의 장르가 된, K-복수극

<더 글로리>와 <약한영웅 Class1>의 사적 복수

넷플릭스의 <더 글로리>와 웨이브의 <약한영웅 Class1>은 한국에서 지속해서 사회적 문제가 되는 학교폭력이라는 소재를 다루면서 큰 인기를 끌었습니다. 두 콘텐츠는 소재뿐만이 아니라 사적 복수를 다루고 있다는 점에서도 공통점이 있는데요. 이제는 하나의 장르가 된 K-복수극에 대해 좀 더 살펴보고자 합니다.

인기 있는 한국 콘텐츠의 흐름은 조금씩 변화해 왔습니다. 그중 하나는 슬픈 감정, 감성을 자극하는 이야기 전개에 대한 것인데요. 소위 '신파'라고 하죠. 특히 콘텐츠 내에서 가장 큰 사건(갈등)이 일어났을 때 가족의 정을 내세워 그 갈등을 해결하는 식의 전개가 많았습니다. 이러한 전개에 대해서는 사람에 따라 호불호가 있을지언정 스토리를 따라가기 쉽다는 장점이 있었고, 또한 결말을 눈치챘음에도(이미 알고 있음에도) 불구하고 결국은 눈물을 흘리면서 그래도 만족스럽게 봤다는 느낌을 얻을 수 있었죠. 뻔하지만 대부분의 사람에게 통하는, '눈물'의 힘이 있었습니다.

그리고 최근의 흐름은, 분노를 자극하는 '복수극'이 대세인 것 같습니다. 최근 콘텐츠들을 보면 이러한 ′사적 복수′를 내세운 콘텐츠들이 상당히 인기를 끌고 있는 것으로 보입니다. 여러 차원에서 소위 말하는 ′사회적 약자′가 법적인 테두리 안에서 정당한 취급을 받지 못할 때 최후의 선택으로 사적 복수를 택한다는 것이 이야기의 주된 전개입니다.

<더 글로리>에서도 사회적 시스템으로는 기득권자인 가해자들에게 물리적, 정신적 타격을 입힐 수 없다는 것을 어릴 때부터 뼈저리게 학습한 피해자는 자신의 인생을 다 바쳐 복수를 준비합니다. <약한영웅 Class1>에서도 공부는 잘하지만, 신체적으로 약한 주인공을 괴롭히는 무리가 있었고, 결국 일이 점점 커져 주변의 모든 이들이 상처받고 나서야 주인공은 폭력에 폭력으로 맞서게 되죠. 이 또한 사회적 시스템 내에서는 상대방에게 죗값을 치르게 하기 어렵다는 것을 알게 된 주인공이 최후로 선택하게 된 결론입니다. 이러한 이야기 전개는 피해자의 시선에서 진행되고, 가해자를 처절하게 응징하고 보복하는 것으로 끝나지만 한편으로는 씁쓸함도 자아내죠. 복수를 이룬 피해자는 과연 행복할까요?

요즘 시대적 정서는 극도의 '분노'에 사로잡혀 있는 것 같습니다. 그래서 더더욱 갈등을 해결하는데 '보복'을 최후의 수단으로 생각하게 되고요. 물론 사회의 시스템이 모든 약자를 감쌀 수 없기에, 억울한 일을 당하는 사람들이 많은 것은 사실입니다. 이러한 콘텐츠들을 보고 '앞으로 갈등이 생기면 복수로 해결한다'는 일차적 결론을 내리는 것이 아니라, 좀 더 큰 차원으로 생각해서 사회적 약자들을 위한 시스템 개선에 관심

을 두고 아이디어를 모아 보는 것이 어떨까요? 콘텐츠가 지닌 '파급력'과 '힘'을 통해 '분노'의 에너지를 새로운 해결책을 모색하는 좋은 방향으로 이끌어 갔으면 좋겠습니다.

한국영화에서 찾는
'정의로움'의 정의

몇 년 전, 아카데미 시상식에서 배우 윌 스미스가 사회자 크리스 록의 뺨을 때린 일을 두고 아카데미 수상 작품들보다 그 사건이 더 화제가 된 적이 있습니다. 이 사건을 두고 누가 옳은지에 대해 각종 커뮤니티와 언론 등에서 다양한 의견들이 오고 갔는데요. 그런데, 재미있는 것은 한국에서의 반응과 미국에서의 반응이 상당히 다른 양상을 보였다는 점입니다.

한국에서는 언론을 제외하고, 의견을 주고받는 커뮤니티의 반응들 대부분은 ″윌 스미스도 잘못했지만, 가족을 모욕한 크리스 록이 사건의 빌미를 제공했기 때문에 더 나쁘다.″, 심할 때는 ″크리스 록은 맞아도 싸다.″, ″뺨을 때리는 게 아니라 주먹으로 더 세게 쳤어야 했다.″는 반응까지 나왔습니다. 그러나 미국에서는 어떤가요. 이 일이 터진 이후로 윌 스미스는 그다음 날 크리스 록에게 공개 사과문을 썼고, 윌 스미스의 수상을 박탈해야 한다는 의견도 나왔다고 합니다. 또한, 같은 배우들 및 아카데미 관계자들에게도 많은 비난을 받았습니다. 이러한 차이는 어디에서 온 것일까요?

여기서 잠시. 한국 대중문화 콘텐츠, 특히 한국 영화 속에서 그려지는 주인공의 모습을 떠올려 봅시다. 혹시 <범죄도시> 영화를 보셨다면, 나쁜 놈을 때려잡는 마석도 형사(마동석) 캐릭터가 매우 인상 깊게 남았을 겁니다. 영화 초반에 마석도 형사는 범죄자를 심문하는 과정에서 뜻대로 되지 않자, 잠시 '진실의 방'으로 데려갑니다. CCTV까지 돌려놓은 그곳에서, 과연 어떤 진실이 새어 나왔을까요? 직접 영상으로 보여주지는 않았지만, 우리는 모두 알고 있습니다. 그 범죄자가 진실의 방에서 어떤 일을 당했을지에 대해서요.

영화 <베테랑>에서도 유사한 패턴이 있습니다. 서도철 형사(황정민)는 뇌물로 회유하는 재벌 앞에서도 '돈이 없지, 가오가 없는 것은 아니' 라며 쪽팔리게 살지 않겠다는 신념을 가진 사람이죠. 마지막, 재벌 3세 조태오(유아인)와의 한판 싸움에서 서도철 형사는 판을 뒤집고 '정당방위'라는 명목하에 상대방을 실컷 두들겨 팹니다.

<다만 악에서 구하소서>에는, 자기 형제가 암살자 인남(황정민)에게 살해당한 것을 알게 된 레이(이정재)가 무자비한 복수를 하러 그를 추격하게 됩니다. 이 경우에는 둘 다 나쁜 놈(?)이긴 하지만, 복수를 위해 서로를 쫓고 쫓으며 잔혹한 폭력 사태가 일어납니다.

한국 영화에서 그려지는 경찰, 형사(때로는 전직 경찰)들을 자세히 보면, 그들 캐릭터가 마냥 좋은 사람만은 아닙니다. 그래도 명색이 주연인데 캐릭터의 정당성을 부여하고자 알고 보면 정이 많고 따뜻하다거나,

평소에는 가족에 대해 무관심하다가도 특정 기념일이 되면 세상 좋은 아빠가 되거나, 하는 식으로 묘사되곤 합니다. 그러나 좀 더 큰 그림에서 살펴보면, 더 큰 정의를 위해 사소한 위반을 밥 먹듯 하는 경우가 많습니다. 물론, 이러한 캐릭터의 특징을 세세히 보여주지 않는 경우도 있으나 많은 경우 더 큰 정의를 위해 작은 범죄를 저지른다든지, 허가되지 않은 일을 벌인다든지 하는 경우가 참 많습니다.

당연히 현실 속 사람은 매번 정의롭게 살아가기도 힘들고 꼿꼿한 대나무 같은 사람보다는 상황에 따라 갈대같이 흔들리는 사람이 더 많죠. 하지만 우리는 영화나 드라마에서 나오는 그러한 캐릭터 묘사를 보며 "사이다 마신 것 같다.", "정말 통쾌하다."라고 느낍니다. 그리고 그러한 캐릭터를 더 인간적으로 여겨서 큰 호감을 느끼게 되죠.

그러고 보면 이번 윌 스미스와 크리스 록 폭행 사건을 해석하는 데에도 우리나라 사람들의 특징이 드러납니다. 가족을 건드리는데 어떻게 참을 수 있느냐는 반응과, 언어적 폭력이 먼저 있었기에 신체적 폭력이 있던 것이고 이를 동일 선상으로 보는 것은 어떻게 보면 같은 동양 문화권에서는 공통으로 드러날 수 있는 부분이라고도 생각해요. 하지만, 윌 스미스가 크리스 록을 때린 것에 대해 "더 큰 정의(이 경우에는 사랑하는 가족의 명예)를 지키기 위해 사소한 위반(이 경우에는 크리스 록의 뺨을 때린 것)을 한 것이기에 이 사건을 이해할 수 있다"고 하는 것은 한국인이 좋아하는 콘텐츠들의 특징과도 매우 닮아 있는 것 같습니다. 윌 스미스의 행동은 가족을 위해 때로는 희생도 불사하는 아버지의 모습, 한국 콘텐츠 주인공의 모습과 닮았죠. 그렇기에 윌 스미스가 잘못은 했어도, 정당한 행동을 했다고 생각하는 사람들이 많은 것 아닐까요?

물론 이 해석 또한 모든 콘텐츠에 대해 분석한 것이 아니기에 다르게 생각하는 사람도 많을 것입니다. 정의로움의 정의는 모두 다릅니다. 그러나 같은 사건을 두고, 한국과 미국처럼 이렇게 다르게 생각할 수도 있다는 점은 생각해 볼 만한 지점입니다. 이 사건을 처음 접했을 때는, 윌 스미스의 심정이 이해되면서 이쪽으로 여론이 기울 것으로 생각했지만 (역시 저도 한국인인가 봅니다.) 어떤 상황에서도 폭력은 용납될 수 없다는 의견 또한 존중받아야 할 것입니다. 아카데미 시상식이 이렇게 불미스러운 사건으로 얼룩진 것은 안타깝지만, 앞으로 아카데미 시상식도 고도의 농담이나 비꼬는 것으로 웃음을 유발하지 말고 더욱 세련된 방법으로 진행하는 방법을 생각할 때입니다.

[부록] 콘텐츠 용어집

[콘텐츠 용어] 개봉 전 행사

현장 공개

: 영화의 특정 세트가 굉장히 볼 만하다거나, 영화에 대한 기대감과 인지도를 사전에 확보하고자 하는 목적이 있으면 여러 이해관계자가 논의해서 진행 여부를 결정한다. 취재할 만한 그림이 있거나 기사화할 만한 재미있는 소재가 있으면, 그 장면을 중심으로 현장 공개를 결정하고 매체를 불러 현장을 보여주고 기사화를 유도한다. 그러나 스포일러에 대한 우려가 있는 콘텐츠의 경우에는 가급적 진행하지 않는다.

미디어 데이 (Media day)

: (영화) 영화 개봉 전후로 영화 출입 기자들을 초청하여 배우 & 감독 & 제작진들과 영화에 대한 이야기를 나누는 자리. 공식적인 언론간담회보다 좀 더 사적인 모임이다.

: (드라마) 드라마를 홍보하기 위한 다양한 홍보마케팅 콘텐츠를 촬영하는 날을 의미한다. (ID 영상, 인터뷰, 캐릭터 소개 영상 등)

제작발표회 / 제작보고회

: (영화) 제작보고회 _ 영화의 주요 키워드를 중심으로 주연 배우와 감독을 모시고 이야기를 나누는 행사. 보통 개봉을 앞둔 영화의 공식적인

첫 행사가 된다. 개봉을 앞둔 1달 전후로 많이 진행하며 예고편과 제작기 영상을 주로 보여주고, 개봉 정보와 영화를 찍는 데에 어떤 수고가 들었으며, 촬영 당시 재미있었던 에피소드 등을 배우와 감독의 입을 통해 생생하게 전달한다. 영화 출입 기자들을 불러 행사를 진행하고 행사 진행 - 사진 촬영 순서로 진행, 1시간~1시간 30분 내외로 마친다. 비대면으로 행사를 진행하는 경우도 많아져서, 이 경우에는 유튜브 등으로 행사를 생중계하고 기자들에게 링크를 사전에 공유하여 행사를 볼 수 있게 한다.

: (드라마) 제작발표회 _ 드라마의 경우에는 보통 방영일 당일 오전이나 방영 전 2~3일에 주로 진행을 많이 하고, 온라인 제작발표회로 진행되기도 한다. 출연 배우와 감독을 초청하여 드라마 스토리와 캐릭터에 대한 이야기를 나누고, 첫 방영 전 관전 요소들에 대해 짚어주기도 한다.

쇼케이스 (Showcase)

: 일반인들을 대상으로 행사의 참여 기회를 주고 SNS 확산을 통한 자발적인 입소문을 유도하거나 행사 내용을 갈무리하여 매체에 보도자료로 배포할 용도로 진행하는 행사. 주로 팬층이 두꺼운 배우가 출연할 경우 기획하면 효과가 좋다. 콘텐츠에 대한 소개나 정보도 전달하지만, 팬들이 직접 참여하는 행사이기 때문에 배우들의 팬서비스도 많은 편이다.

[콘텐츠 용어] 시사회

모니터링(Monitoring) 시사

: 영화의 편집 방향이나 타깃 등을 결정하기 위해 영화 개봉 전 편집 단계에서 영화를 보여주고 질문지에 답변하게 하는 시사회. 보통 만족도와 추천도를 5점 만점으로 매기게 하여 참여자의 평균을 낸다. 만족도는 개인이 만족한 정도, 추천도는 타인에게 추천할 의향이 있는지를 묻는 것이다.

블라인드(Blind) 시사

: 영화에 대한 정보를 전혀 주지 않고, 완성된 또는 편집 중인 영화를 보여준 뒤 해당 영화에 대한 질문지에 답변하게 하는 시사회. 정보를 공개하지 않는다는 점에서 "블라인드" 시사회라고 부르며 이후 영화 개봉 전까지는 해당 내용을 게재하거나 공표할 수 없다는 NDA(Non-Disclosure Agreement, 비밀 유지협약)를 쓰고 참석하게 된다.

언론 시사 / 배급 시사

: 언론 시사는 영화 개봉 전, 영화 출입 기자들을 초청하여 영화의 첫선을 보이는 시사회를 말하며 배급 시사는 배급사 및 극장 관계자, 영화관계자들을 초청하는 시사회를 말한다. 보통 언론 시사와 배급 시사는 주

로 개봉 1~2주 전 같은 날 또는 비슷한 날에 개최하며 다른 모든 시사에 우선한다. 완성된 영화를 말 그대로 '최초로' 공개하는 것이어서 그 의미가 크고, 시사회의 반응에 따라서 영화에 대한 첫 평가가 이루어지고 보통 시사회가 끝난 후 기자간담회를 통해 배우와 감독이 영화에 대한 기자들의 질문에 답변하게 된다. 이 자리에서 배우들의 캐릭터 해석에 대한 의견을 묻기도 하고, 감독님께 특정 장면의 연출 의도 등에 대해서도 질문들이 오고 가며 외화의 경우에도 제작보고회는 안 하지만, 언론배급 시사는 반드시 진행한다.

일반 시사

: 영화 개봉 전에 입소문을 내기 위하여 일반 관객들을 대상으로 모객하여 진행하는 시사회

[콘텐츠 용어] 개봉 후 행사

GV (Guest Visit)

: 특정 패널을 초청하여 영화에 대한 담론이나 의견을 나누고 관객들도 질의를 통해 참여할 수 있게 하는 행사. 예를 들면, 요리와 관련된 영화일 경우에는 유명 요리사를 초대해서 이야기를 나누거나, 동물과 관련된 영화의 경우 동물 전문가를 초대해서 이야기를 나누거나 할 수 있다. 그리고 영화전문가를 초대하여 행사의 모더레이터로 참석하게 하는 경우가 많다. 영화를 제작한 사람 외에도 다양한 시각으로 조명할 수 있고 관객들도 직접 참여가 가능하다는 점에서 참여형 행사로 인기가 있다.

무대인사

: 무대인사는 보통 영화 개봉 주 주말에 특정 영화관에서 영화 시작 전 또는 후로 주연배우와 감독들이 관객들에게 감사 인사를 하는 것을 의미한다. 때로는 영화 개봉 전 시사회 때 깜짝 행사로 진행한다. 개봉 2주 차까지 하는 경우도 있고, 때로는 감사의 의미로 일정 누적 관객 수를 돌파할 때 하는 경우도 있다. 무대인사가 결정되면, 해당 정보를 미리 공식 계정 등을 통해 고지하고 영화관 예매 사이트에도 안내하며 보도자료로 알릴 때도 있다. 인기 배우가 나올 경우에는 무대인사를 빨리 결정한 후 상영관 예매를 시작하면 예매율을 높이는 데에도 도움이 된다.

[콘텐츠 용어] 마케팅 선재

티저(Teaser) / 메인(Main) 예고편

: 티저 - 메인의 차이는, 티저는 콘텐츠의 전반적인 분위기, 이미지를 담는 데에 좀 더 집중하고 메인에서는 이 콘텐츠가 어떤 내용으로 흘러갈지에 대한, 스토리를 드러내는 데에 주로 집중하게 된다. 마케팅 기간이 충분하다면 먼저 티저를 공개해서 이 콘텐츠가 어떤 느낌인지부터 맛보기로 보여주고, 2주 ~ 1달 뒤쯤 메인 예고편을 새롭게 공개하면서 스토리를 노출하는 흐름으로 많이 진행되는 편이다.

캐릭터 예고편

: 전체적인 스토리보다는 콘텐츠 속 주요 캐릭터들을 짚어주고 콘텐츠 내에서 어떤 관계성과 역할을 맡는지에 대해 집중하는 영상

제작기 영상 / 메이킹 필름 (Making Film)

: 콘텐츠 본편 외에, 콘텐츠를 촬영하는 동안의 현장 모습이나 비하인드를 찍은 콘텐츠를 의미한다. 편집하여 본편을 홍보하는 부가 콘텐츠로 활용된다. 촬영 당시의 현장감을 살리고 콘텐츠 내에서 세트나 조명, 소품 등이 어떻게 만들어지는지, 배우들의 현장 촬영 인터뷰를 섞어서 만드는 경우가 많다.

푸티지(footage) 영상

: (특정한 사건을 담은) 장면 또는 화면. 가끔 영화가 완성되기 전, 또는 완성된 이후에 정식 시사회를 하기 전 볼 만한 일부 화면을 추려내어 미리 공개하는 경우가 있는데 이러한 영상을 푸티지 영상으로 칭한다.

스틸 컷 (Still Cut)

: 콘텐츠를 촬영할 때 현장에서 촬영하는 사진들. 주로 배우가 연기하는 모습 위주로 촬영되며, 때로는 배경이나 세트 등을 강조할 때 촬영하기도 한다. 스틸 컷은 콘텐츠 공개 전/후로 보도자료를 릴리즈하거나 콘텐츠를 홍보할 때 사용된다.

[콘텐츠 용어] 콘텐츠 보안

KDM (Key Delivery Message)

: 배급용 암호키라고 번역된다. DCP(Digital Cinema Package, 극장에서 디지털 시스템으로 영화를 상영하는 포맷)로 전달받은 콘텐츠를 해당 상영관에서만 재생될 수 있게 하는 일종의 암호라고 보면 된다. 콘텐츠를 복사해서 다른 곳으로 유출해도, KDM이 없으면 재생되지 않기 때문에 콘텐츠를 함부로 복사하거나 유출할 수 없게 한다.

워터마크 (Watermark)

: 화면 프레임에 특정 문구를 삽입, 해당 콘텐츠를 복제했을 때 어디에 제공한 콘텐츠에서 복제했는지 파악할 수 있게 하는 기술. 콘텐츠를 완전히 대중에게 공개하기 전 보안을 유지해야 하는 시사회에서 사용하거나, 콘텐츠를 디지털 파일 형태로 제공하는 플랫폼에서 주로 사용한다. 콘텐츠 제공사는 플랫폼마다 고윳값을 지정하여 해당 문구를 삽입하고, 추후 유출된(복제된) 콘텐츠에서 해당 문구를 확인하고 그 플랫폼에서 복제한 사용자를 역추적한다.

DRM (Digital Rights Management)

: 디지털콘텐츠의 저작권을 보호하는 일종의 암호화 기술. DRM을 적

용하면 콘텐츠에 특정 권한(재생 만료 기간, 재생할 수 있는 기기 지정 등)을 부여할 수 있고 복제나 변조를 방지할 수 있다.

지오 블록 (Geo block)

: 콘텐츠에 접근할 수 있는 지역을 설정할 수 있게 하는 기능으로 콘텐츠는 보통 지역별(territory)로 판매하기 때문에 해당 지역에서 콘텐츠 권리를 구매한 권리사가 유튜브 등 글로벌 동영상 플랫폼에 지오 블록(Geo block)을 걸 것을 요구하는 경우가 있다.

[콘텐츠 용어] 영화관, 상영 관련

DCP (Digital Cinema Package)

: 디지털 마스터링된 상영용 영화 파일. 기존에는 영화 상영 시 필름에 인쇄한 후, 여러 개의 필름을 이어 붙여 1개 영화관에 1개 필름으로 상영하였으나 DCP가 보급된 이후에는 외장하드에 콘텐츠를 담아 영화관마다 배송, 콘텐츠를 영사기로 옮겨 상영한다. 최근에는 물리적인 외장하드 배송 외에 네트워크로 콘텐츠를 전송하는 시스템이 도입되었다.

P&A (Print & Advertising)

: Print는 배급 비용을 의미하며 Advertising은 홍보마케팅 비용을 의미한다. 총제작비는 순제작비(순수하게 제작에만 소요되는 비용)에 P&A 비용을 더해서 계산한다.

굿즈 (Goods)

: 콘텐츠의 선재, 이미지 등을 활용해서 만드는 물건. 콘텐츠의 홍보를 목적으로 만들어지며 무료로 나누어 주는 경우가 많으며 유료로 판매하는 경우도 있다.

좌점율 (좌석점유율)

: 총 배정받은 좌석 수에 실제 관객 수가 몇 명이 들어갔는지를 집계하

여 비율을 낸다. 좌점율이 높을수록 효율이 좋은 영화이며, 때로는 좌점율이 높으면 그다음 주 스크린(영화관 1개)을 배정받을 때 더 많은 수를 배정받기도 한다. 보통 주말에 좌점율이 높고 평일에는 낮으며, 낮보다 저녁의 좌점율이 높다. 매진될 경우에는 좌점율 100%라는 표현을 쓴다.